U0060754

天下‧文化
BELIEVE IN READING

科學天地 162

微積分之屠龍寶刀

How to Ace
Calculus
The Streetwise Guide

by Colin Adams, Joel Hass,
Abigail Thompson

亞當斯、哈斯、湯普森／著　　師明睿／譯

作者簡介

亞當斯（Colin Adams）

美國威廉斯學院（Williams College）數學教授，曾榮獲 1998 年美國數學協會傑出教學獎（MAA Distinguished Teaching Award）；另著有《微積分之倚天寶劍》、《The Knot Book》。

哈斯（Joel Hass）

美國加州大學（戴維斯分校）數學教授，曾獲美國國家科學基金會（NSF）及史隆基金會（Sloan Foundation）研究獎，與亞當斯合著有《微積分之倚天寶劍》。

湯普森（Abigail Thompson）

美國加州大學（戴維斯分校）數學教授，曾獲美國國家科學基金會（NSF）及史隆基金會（Sloan Foundation）研究獎，與亞當斯合著有《微積分之倚天寶劍》。

師明睿

1940 年生於四川成都，九歲時隨父母來台。省立新竹中學及國立台灣大學化學系畢業，服兵役後曾回台大任助教研究生一年，旋赴美進修，獲得美國印地安納州立普渡大學生物化學博士學位。畢業後去加拿大定居，一度擔任加拿大卑詩省賽門佛瑞哲大學（Simon Fraser University）生物系講師。隨後棄筆務農，曾出任卑詩省政府洋菇市場統銷監察委員，卑詩省佛瑞哲河谷洋菇菇農合作社之理事兼副社長、理事長兼社長、執行理事，及加拿大全國菇農協會理事。

1992 年回國之後，先後在衛生署預防醫學研究所、中研院生醫所及生農所籌備處從事研究，參與台灣疫苗政策評估規劃、日本腦炎新款疫苗研發，以及中草藥金線蓮藥理之動物研究。

同時也從事自由翻譯工作。譯作有《觀念物理 3：物質三態‧熱學》、《萬物簡史》、《微積分之倚天寶劍》等十數本（皆為天下文化出版）。

微積分之屠龍寶刀

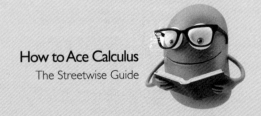

How to Ace Calculus
The Streetwise Guide

謹以此書
獻給
所有對未來生涯規劃具有鴻鵠高飛之志，
卻又擔心會撞上微積分的嵯峨山崖
而折斷翅膀的
學生們

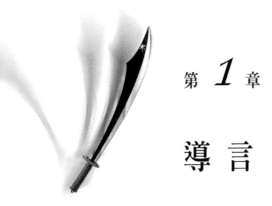

第 *1* 章

導　言

　　如果你正打算要讀這篇序文，那麼這本書很可能不適合你。為什麼呢？因為我們預期這本書的讀者，應該是那些一天到晚忙這忙那的微積分學生，壓根兒不會有空來讀這種咬文嚼字、考試又一定不考的序文或導言。當然，也有可能是你還沒有買下這本書，正站在書店裡這邊瞧瞧、那邊翻翻，考慮到底要不要買回去──如果情形果真如此，那就讓我們簡單告訴你，這本書究竟在講什麼。

　　如果你想探知內行人所知道的祕訣跟竅門，使你的大一上學期微積分修得輕鬆愉快，那麼這本書必然是你所需要的；如果你想在快樂中學習到許多很了不起的數學，這本書也正好是你要找的。甚至當你只是想拿本書在手上做樣子，讓看見你的人以為你很有數學

文化氣息，正倘佯、沉醉在知識的波濤裡，這本書也能幫你圓滿達成任務。

曾幾何時，你坐在教室裡聽講卻完全聽不懂，而面露窘態。可能是因為你的注意力，在一個節骨眼地方，被腦中突然閃過的其他念頭支開或打斷，也可能是因為任課老師在講解一些基本觀念時，一時高興過頭，不經意的扯到一些艱深理論去了，搞得你下了課之後是一頭霧水，只好求助於才思敏捷的同窗好友，還得請他一杯咖啡當作賄賂：「剛才那堂課上，教授講了些啥玩意兒呀？」結果，你那位朋友只用了短短五分鐘向你解釋，居然就讓你豁然大悟。「什麼！就這麼簡單嗎？」你嘴裡這麼說著，心裡可是直嘀咕：「為什麼老師不一開始就如此解釋呢？」從此，你巴不得都有這位同窗在一旁，把課堂上講過的所有內容都向你解說一番。

你有這麼一位益友，可真是前生修來的福氣，不是每個人都這麼好命，這本書的目的就是要取代你那位朋友。本書提供了微積分裡面各種關鍵議題的「非正式」說明，而且盡可能跳過正式教科書中，沒啥用途的技術性細節與一大堆囉哩八唆的文字，而是著重於觀念的闡釋與釐清。本書並不是要取代微積分教科書，而是希望幫助讀者更容易了解教科書中的微言大義。

只要你的出發觀點正確，方法無誤，學習微積分不但是擴展心智的難得經驗，也是叫人心曠神怡的樂事。這本書將告訴你：微積分該怎麼教，如何找最好的老師，該學些什麼，以及考試時可能會考哪些部分。這些內容可都是我們當年在當大學生、必須修微積分時所企盼而不可得的呢！

好啦，你已經磨蹭得夠久了，何不拿著這本書到收銀台，掏腰包付點小錢把它買下來，然後咱們繼續再聊？

第 *2* 章

你的任課老師
到底是哪號人物？

2.1 選擇你的任課老師

在這兒我們要簡單介紹一下數學家，包括他們的尊卑層級，以及各個階層的獨特特徵。

在選擇你的任課老師之前，務必仔細研讀此節。

了解數學家，其實就像賞鳥。賞鳥專家為了要能夠在大庭廣眾下，很有信心的大聲宣稱：「趕快看！那是台灣特有的藍腹鷴！」他得事先對這種鳥的特徵有足夠的知識才行。

能否選出一位最佳任課老師，關係實在重大，若是選得理想的話，你的微積分修課經歷將成為一連串的喜悅記憶；若選得不理

想，到後來你很可能會故意挑微積分的上課時間去看牙醫，此乃兩「痛」相權取其輕也。

通常只要看看老師的辦公室門，你就能得到相當多的有關資訊。一般而言，老師的辦公室門上都會掛著或貼著名牌，主要作用是告知其正式頭銜。這頭銜還挺複雜，有以下諸多可能：

A.　終身職的固定教師（名牌上寫的是某某教授或副教授）。有「終身職」的教師，是指無論他們多麼鬼混、多麼不稱職，學校都不能主動炒他們魷魚。「副教授」者，資格上比「教授」矮了一級；副教授之所以為副教授，有時候是因為他們年紀較輕，教書的資歷較淺，有時候則是因為其他難以想像的原因，讓他無法升等（諸如他在院長公館煙囪裡面躲貓貓的時候，不巧叫院長逮個正著）。

B.　非終身職的固定教師（門牌上寫的是某某助理教授）。這號人物可以隨時被校方請走路，不過當他們被學校辭退的時候，原因多半不會跟他們教導微積分的能力扯上關係！在歐洲，助理教授實際上就是助理，他們的工作包括按時修剪教授家裡的草皮，替教授提公事包，以及代替教授講課。而在美國，他們的地位就稍微高些，頭銜裡的「助理」兩字也只是顯示他們的教書生涯剛開始，處於尚未取得終身職的階段。

C.　客座教師（門牌上寫的是某某客座教授或客座助理教授）。「客座」兩字是指學校對他們的禮遇有時間上的限制，一年或兩年約滿之後，他們就得乖乖自動離開，至於離開之後有沒有其他頭路，學校就不過問啦！

D. 臨時教師（門牌上寫的頭銜是講師、指導老師或是兼任教授）。
有些學院聘僱了一些臨時教師，目的無他，就是專門請他們來
教課。這或許意謂著這些臨時教師可能對教學比較盡心盡力。

E. 研究生（門牌上只寫姓名，沒有頭銜，不過有時候也可能胡亂
弄個一看就知是假的頭銜，諸如兼任指導老師之類的）。

F. 門上看不見任何門牌。這是非常不妙的現象，有幾種可能原
因：其一是表示這位老師太缺乏組織能力，居然連門牌這麼重
要的東西都給遺漏掉了；其二更是嚴重，表示這位老師以前的
學生，為了報復洩憤，不斷前來把他的辦公室門牌扯下來丟
掉。當然也可能是他有某種顧慮，不願意讓他以前的學生知道
他的辦公室在哪兒；這現象值得花點時間深究一番。

G. 連門都沒有。此乃極端危險的訊號！很可能表示學校當局認為
他根本沒有資格擁有一間辦公室（果真如此，你下了課之後要
怎麼去找他問問題呀？），當然也有可能是你找錯了大樓！

　　上述類別中，屬於 A、B、C、D 四類的幾乎都有博士學位。

　　在學校的選課課程目錄內，所有具固定職位的教師的名字與頭
銜都會列出來，以備學生查閱。在規模龐大的大學裡，有固定職位
的教師通常都在做一些高深的研究，要不就是那些長年待在數學系
內，操控著系裡政治鬥爭機器的老傢伙。有時候，系裡最好的老師
就在這群人裡面，不過最差勁的老師也混雜在當中。這些老師包辦
了系裡所有高年級的課程，偶爾也教教微積分這種入門課；他們對
於教微積分這項工作看法不一，有的人認為這是個擺脫不掉、必須
忍受的義務及負擔，另外一些人則沉浸在傳授微積分的樂趣中。

　　在許多規模較小的學校裡，校方並不要求教師做許多研究，因

此他們的重點擺在教書上面。所以你會發現，在這些學校裡，有許多教師花非常多的時間跟腦筋在改進教學，這有時也意謂著，他們可能會是比較好的微積分老師。不過凡事有利亦有弊，由於這類學校的教師不做研究，他們的教書擔子通常就比那些在研究型大學裡任職的教師沉重了一到兩倍，所以，他們雖然不必因為搞研究而分心（諸如費盡千辛萬苦的證明「雙曲 3-流形的凸心是緊的」這類問題），但是往往必須在一學期裡同時教四班微積分課，面對動輒數百位學生！即使有心專注於教學，又談何容易？

　　在區別 C 類（即客座教師）跟 D 類（臨時教師）時，所牽涉到的細節還相當細微，不能一概而論。有些客座教師在別處有固定職，來這兒只是適逢他每七年一次的休假年＊或者是其他長假，來此與老朋友敘敘舊，或是在很棒的衝浪景點（恰好在你的學校附近）盡情享受一番。他的假期一完就走人，至於學生在學期末對任課老師的評分是優是劣，他壓根兒沒放在心上。不過，如果這些老師原來任職的學校就標榜教學為第一要務，那麼你也可能會碰上頂尖的好老師。（＊編注：美國某些大學會給大學教師每七年一次的一整年休假。）

　　至於其他的客座教師，可能是剛拿到博士學位的新科教師，你成了他的開門弟子。他們通常掛著諸如「客座助理教授」或其他帶著「博士後」字眼的頭銜。他們的當務之急並非教學成績，而是試圖搞出一點可以發表的研究成果，以及尋找明年的頭路。但他們也不可能完全放棄教學，因為一旦學生認定他們是壞老師的話，肯定以後不會有學校聘他們，但是礙於缺乏經驗，他們的教學能力因人

而異，好壞差距極大。

　　講師跟臨時講師通常是逐年一聘，他們的主要任務就是教課。他們的教學方法可能決定明年是否能續聘，而學生在學期末給老師打的分數，很可能影響到他們明年的飯碗。所以對他們來說，巴結學生、讓學生開心是極端重要的。如果一位講師在學校裡待了超過一年，卻仍然還沒有混到一個帶「教授」字眼的頭銜，這表示他仍是留校察看的臨時教師。這種教師一般只能教教微積分跟一些微積分先修課程，若是他們在此之前教過同樣的課程好一陣子，那麼一般說來他們都會教得比較好，如果仍然教得相當爛，他準是系主任的小舅子。

　　碩士班或博士班的研究生有可能是非常好的講師，他們的共通弱點一般是經驗不足。他們教學能力的優劣，完全難以捉摸，有的相當頂尖，有的極端蹩腳。不過也有個問題，那就是他們大多剛念完大學，對初等微積分還記憶猶新，不太容易玩花樣矇混過關。他們之中亦不乏年紀較長的，你不難從他們花白糾結的一頭亂髮、含糊的口氣，以及邋遢的穿著，一眼認出這類人物。

　　對於絕大多數的研究生講師，你不太可能從旁探聽到他們以往的表現，遇到他們的話，最好的策略就是去聽他講一、兩堂課，如果發現講得很爛，就應該要當機立斷，迅速撤離。

　　通常，你可從辦公室的空間大小看出一位教師的學術地位；如果其他徵象都沒法給你足夠多可靠的訊息，不妨一探他的辦公室。辦法是：進去估量一下辦公室內的地板面積，然後把估計的數值除以門上具名的人數，再加上辦公室所在的樓層數目*，如果沒有窗子

就得乘以–1。最後得到的值愈大，表示你的任課老師在系裡地位愈高。（*譯注：一般來說，樓層愈高，位階亦愈高！）

當然，以上的大致歸納分析並不很準確可靠，例外可說是屢見不鮮。我們自己就曾遇過既認真又傑出的客座教授，也碰到過為學生鞠躬盡瘁的終身職教師。那麼我們該怎麼辦才好呢？幸好有個更為可靠而且相當簡單的方法，可以告訴我們在可供選擇的範圍內，誰是最高竿的教師。

內行機密：想知道誰是最好的任課老師嗎？開口問呀！

其實系裡上上下下，每個人心裡都明白究竟誰是個好老師。你可以去拜訪系裡的兩、三位老師，向他們打聽一番。不過得注意一點，你最好問那些年紀輕一些的老師，因為他們涉世未深，故意誆你的機率不大。另外，系辦公室內的祕書也都知道哪幾位老師教得最好，等著選課的學生隊伍排得最長，而哪幾位老師的課會讓許多學生半途退選。

內行機密：想知道誰是最好的任課老師嗎？多聽幾個老師講課，然後選擇你認為最好的那一位！

在大規模的大學裡，同一門課你大概可以在五位到十位教師裡精挑細選。較小規模的學校雖然沒有這麼多選擇，教學水準可能比較整齊。不管學校大小，如果你多問問，應該可以找出兩三位優秀的教師，然後你再去一一試聽，選出你的理想老師來。

如果沒得選擇也就罷了，既然可以選，當然就應選出最好的。

其實這個選擇一點也不難，通常只要聽了第一堂課，你就會知道誰能引起你的注意，而誰會叫你聽得哈欠連天。你的篩選標準要訂得很高，千萬不要跟其他萬千學子犯同樣的錯誤：誤以為聽不懂是自己的錯。

內行機密：若上課之前你做過預習，但講課的內容你卻完全無法聽懂，過錯極可能在任課老師，而不在你！

如果第一天上課就有超過十分之一的學生睡著了，那是一個很糟糕的信號；如果上課第一天就分發下來一份印得很清楚的課程大綱，或者任課老師幫同學排定了許多課外的辦公室時間，那可是好的信號。如果你在課堂裡聽了老半天，還搞不清這節課上的是法文還是數學，那是個糟糕的信號；如果任課老師指定《微積分之屠龍寶刀》這本書為必備參考書，那是個好的信號——而且是極其好的信號！

許多學校不喜歡讓學生試聽，因為這樣會大幅增加學校行政人員的工作量，而且到頭來會使得班級大小難以控制。有些學校的行政人員甚至希望你繳完學費後便自動消失，最好不要再去找他們的麻煩。切記！千萬別在乎他們高興不高興，你繳了學費，就有權利要求他們為你做點事！

如果你現在是個高中生，而且正在修微積分，那麼以上所述的選良師高招，絕大部分沒有用武之地，原因是你根本毫無選擇。在這種情況下，你就算踢桌子、摔板凳，都沒啥用，所以你只能祈求老天爺保佑自己不要遇到太離譜的糟糕老師。

2.2 對任課老師該有啥要求

　　好啦，你現在好歹已經有了任課老師，對他（她）的職位也有些初步的了解，那麼咱們就再更仔細瞧瞧他（她）算不算是理想的微積分老師。以下舉幾個你可能料想不到的實際例子。

名數學家故事之一：

　　出生在匈牙利的馮諾伊曼（John Von Neumann, 1903-1957），一九三〇年代移居美國。他利用工作閒暇之餘，發明了電腦程式寫作的基本概念，可算是計算機理論的開山祖師爺。此外，他的為人處世也有點不太平凡。

　　有一次，他講完一堂微積分課，有位學生跑來問他問題：「馮諾伊曼教授，黑板上最後那個問題，我不了解你是怎麼得到答案的。」馮諾伊曼轉過頭盯著黑板上那個問題，看了大約一分鐘，然後說：「e^x。」這位學生聽了益發不解，於是說：「我知道那是正確答案，馮諾伊曼教授，我只是不懂它是怎麼求出來的。」結果馮諾伊曼盯住學生看了一分鐘，然後移開視線，又重複一遍說：「e^x。」這名學生開始失去耐性了：「但你並沒告訴我你究竟是怎麼得到答案的！」馮諾伊曼把頭轉向他，一臉寒霜的說：「小伙子，你到底要我怎麼辦呀？我不是已經用兩種不同的方式告訴你了嗎？」

　　啟示：有的時候，教授們其實已經不大記得他們自己以前在當學生，還在學習微積分時的困苦情形，由於他們年復一年、一遍又一遍講授同樣的教材，他們根本不能理解，為什麼學生仍然不懂。

名數學家故事之二：

　　韋納（Norbert Wiener, 1894-1964）大約是二十世紀前半，最偉大的一位美國數學家。他過人的才智，為同儕所欽佩，而他也同時因為心不在焉而出名。

　　在麻省理工學院（MIT）執掌敎鞭數年之後，韋納一家人搬到一棟比較大的房子裡。他的太太深知他的老毛病，曉得他可能會記不得新的地址，以致於下了班之後回不了家，所以她特地把地址寫在一張紙上，讓他放在襯衫口袋裡。不過那天在吃中飯的時候，他突然想到一個非常好的數學點子，急切之間把字條給掏了出來，在上面做了一些計算式子。做著做著，卻又突然發現了破綻，才知道這點子並不怎麼樣，一氣之下就把那張紙揉成一團丟進了字紙簍。等到一天終於忙完，到了該回家的時候，他才省悟自己把寫有地址的字條給丟掉啦！這下子他怎麼想也想不起來新家在哪兒。

　　不過，他那大數學家的頭腦也不是浪得虛名，一轉念便想到了辦法：回到原來住處，等在屋前。因為若是他逾時未抵家門，他老婆一定知道是他迷路了，所以會到舊屋那兒去接他。很不幸，當他抵達舊家時，並沒瞧見他老婆的倩影，倒是發現一位小姑娘站在屋前，於是他趨前問她：「對不起，小妹妹，你知不知道住在這兒的人搬到什麼地方去啦？」不料，這個小姑娘卻回答說：「老爸，別擔心，媽咪叫我來帶你回家去。」

　　P.S.：最近有一家數學通訊社循線找到了韋納的女兒，向她求證這項傳聞，她斷然否認當年她老爸糊塗到連親生女兒都認不出來，不過卻坦承他的確不知道回家之路。

啟示一：如果學期結束的時候，你的任課教授仍然沒有搞清楚你的大名，請不要太過訝異。

啟示二：你應該慶幸你的父母不是學數學的。萬一是的話，也用不著哀聲嘆氣，你可以隨時準備向他們自我介紹一番，然後纏住他們，要求他們幫助你搞懂微積分。

名數學家故事之三：

希爾伯特（David Hilbert, 1862-1943）是活躍在二十世紀初的偉大德國數學家。他的一位學生買了一部最早期的汽車，後來不幸死於最早期的其中一場死亡車禍。在葬禮上，死者家屬敦請希爾伯特老師說幾句話，於是他說：「小克勞斯是我的學生當中最優秀的，他生前在數學方面，具有不同凡響的天分。他對數學問題的興趣非常廣泛，諸如……」他暫停了一會兒，然後說：「考慮單位區間上的一組可微函數，然後取它們的閉包……」

啟示一：上課時儘量坐在教室門口附近，要離開比較容易。

啟示二：有些數學家可能跟現實生活有點脫節，如果你的任課教授屬於這一類，倒也無傷大雅，試著從好的一面來看：一學期下來，你包準能蒐集到一大籮筐的糗事、笑話呢！

2.3 如何與任課老師相處

以下是幾個基本禮儀，教你如何跟任課老師成功互動。

1.　千萬要記牢任課老師的大名。許多數學老師都不能想像，在學生的生命中會有比他們更重要的「貴人」。不管你怎麼想，畢竟

關係搞好了，占便宜的還是你自己。

2.　儘早決定要用什麼頭銜稱呼你的任課老師。這個禮儀問題看似複雜，其實非常容易。你大概聽過「禮多人不怪」這句話吧？訣竅就在不吝於多加些恭維的字眼。假設你的任課老師姓郭，稱呼他一聲郭博士準沒錯，洋氣一點也可以稱他「Dr. 郭」，雖然他的薪資一輩子都不會超過他班上醫學院學生將來的收入。如果郭教授是位女性，那麼更是需要稱呼她為Dr.郭。總歸一句話，頭銜上儘量「大方送」。

3.　避免粗魯的言行，隨時保持禮貌。在向授課老師問問題的時候，可以堅持不懈，但絕不可粗魯無禮。千萬記住，決定你的成績的人是任課老師。即使最最理想主義的老師，號稱絕對不讓他的個人好惡影響到學生的成績，仍然不可避免的會碰到是否要讓你及格，或是幫你加分的情況。這時，他的意識會說：「這個學生的期末成績比期中成績稍微差了一些，但是期末考占的比重較大，照說我應該打出較低的成績。」但是他的下意識卻在喊：「好呀！我可得藉此機會把你這個目無尊長的猴死囝仔釘到牆頭上。」打數學分數雖然不像打「聖經詮釋傳統中的反偶像現代性」這類課程的成績那麼見仁見智，中間還是有一點活動空間。所以，請善待你的師長。

第 *3* 章

輕鬆拿高分的
十大通則

1. 把這本書買下來。如果你手上這本不是你的，趕緊去買一本，放在床頭，以備隨時翻閱。不妨再多買幾本，放在廚房、廁所這些你經常出沒的地方。

2. 選擇最適合你的教師。

3. 用心聽講。這件事說來容易，做起來卻相當困難。有些教授已經積習難改，他們的教法促使你注意力渙散、思緒麻痺。要是你沒有鋼鐵般的意志，絕對難以阻擋他們的綿綿攻勢。對付他們的辦法是要勇於分辨——如果有選擇的機會，就選一位最適

合你的教授。如果學校不讓你選擇，就在校園附近找找有什麼
地方可以買到效力最強的咖啡；原則上，學校附近都應該找得
到。如果居然連買杯咖啡都如此困難，那麼你也用不著修微積
分了，不如改行開咖啡屋吧，你會大賺一票的。

有個很有效的方法，能強迫自己集中注意力，那就是上課
時坐在第一排。根據以往的經驗，拿高分的學生只有兩類：

* 坐在第一排的學生，原因是坐在第一排可以讓人更專心。
* 坐在教室最後面，從來不注意聽講的學生。這些傢伙仗著
  高中時修過微積分，現在只想輕鬆撈一個高分。他們絕不
  會願意花錢買這本書，所以跟咱們無緣。他們哪會料到，
  讀過這本書的同學將會齊集在全班成績曲線的前端，把他
  們痛宰一頓（要是還能拿七十幾分，算他們走運）。

4. 老老實實的把習題全都做過一遍。雖然大學課程的重點集中在
   課堂裡，但真正的學習卻發生在課堂之外，在寢室裡，或在圖
   書館內，在你做習題的時候。道理極其簡單，如果你搞清楚怎
   麼做習題，那麼你也自然領悟了如何解答考卷上的問題。
   這兒有幾個做習題的簡單步驟：

* 看清楚老師交代的是什麼樣的習題。
* 從教科書裡找出看起來類似的例題。
* 試著用例題裡的解題方式依樣畫葫蘆，你會發現絕大多數
  的習題，都會迎刃而解。

   當你按照上述步驟，反覆做過幾題之後，自然而然就會漸
   漸不再需要參考例題，而能獨力完成解題的工作了。數學這玩
   意兒，說穿了不過就是如此。

5.　找人幫助。當你卡在問題裡面動彈不得的時候，千萬不要：

＊　用腦袋撞牆。

＊　以為兩大杯啤酒下肚就可以解決問題。

＊　一氣之下斷然放棄學生生涯，改行去街上賣蚵仔麵線。

　　相反的，你應該冷靜下來，去找人幫忙。找誰呢？下列名單是按照重要性做遞減的排序：

＊　同窗的才子型人物。切記要把自尊擺在一旁，如果死要面子，到頭來你還是跟高分無緣。只要你願意不恥下問，一定有高人能夠解釋給你聽。不過必須記住，不要直接問答案，而是要問過程，因為光是知道答案，對將來應付考試沒啥用途，考卷上的問題稍微一改，答案當然就不一樣了。還有就是要設法跟這種人建立起友誼，一種施與受的關係，這對雙方皆有好處，因為世界上最好的學習方式，就是試著講解給旁人聽。

＊　不久前剛修過同一門課的人（而且修得一級棒）。重點是要在「不久前」修過，因為如果已經隔了一段時間，你可能需要花更多時間喚起他模糊的記憶，而得不到什麼幫助。

＊　助教。一般說來，助教在教學上依然是新手，因而非常熱中於指導學生，一次耽誤他幾個小時都很少有怨言。他們樂於握有權力，最巴望有學生去問他問題，藉以陶醉在「他比你懂得多」的事實之中。不妨善加利用。

＊　教授。缺點是，要找他們通常不會很容易，他們在辦公室的時間一般不多，而且多半不會太考慮學生的方便。所以若要去找教授，事先最好準備妥當。可以用利貼之類的便條紙，寫上想問的問題，然後貼在要繳交的習題或是課堂

筆記本中，見了教授之後，一個接一個的提出問題。教授看到你那麼有組織能力，又對課業內容那麼注意，印象一定非常深刻，很可能在學期結束時幫你加分呢。當然，如果教授知道你的大名，就更有幫助了。

　　大多數的教授都極樂意在已經排定的辦公室時間以外，與學生另約時間，當然也不免會有例外。話說有位學生，下課後快步繞到女教授面前把她攔下來，說了一堆藉口，希望跟教授另約時間，幫他解答幾處不明瞭的地方。教授拿出她的行事曆，看了看之後對學生說：「我在兩個半月之後有個空檔，也就是 3 月 24 日清晨 6 點 15 分。」這名學生聽了之後倒抽一口氣說：「你只有在那個時間才有空嗎？」教授說：「不錯。有什麼問題嗎？」學生說：「那倒沒有，只是我正好跟助教約好同一個時間，要去找他。」

＊　電子郵件。利用電子郵件，是從任課教師或助教那兒獲得答案的最簡易跟最快速的辦法。奇怪的是，幾乎沒有學生想到用電子郵件跟老師打交道。這種通訊方式特別適合簡短的詢問，諸如「明天的課是否又要取消？」以及「我可以跟您約星期二嗎？」教授們隨時會查看信箱，而且大多數都很勤於回信。用電子郵件還有個好處，那就是你發信的時間完全不需講究，白天晚上皆可。與凌晨三點鐘在家裡接到你的電話比起來，他們寧願收到電子郵件！

＊　上網。全球資訊網上有許多微積分網站及討論區，上去之後，你可以找到各式各樣問題的答案。如果你知道如何上網，馬上行動；如果你還不會上網，趕緊找班上那個顯然

很少曬太陽的同學，拜託他（她）教你如何上網。

6. 熟悉各個例題。老師在教微積分時，通常都是塞給學生一堆法則（有時會分門別類成一系列的定理跟引理），偶爾舉一兩個例題來說明。千萬要注意這些例題！你可能會以為那些例子不過是任課老師信手拈來。其實，這些範例都是老師精心挑選的，所以你應該特別記牢，因為期末考的題目可能跟這些例題差不到哪去。數學教授會把他的同一套考試題目拿來重複使用，就跟諧星總是重複說同樣的笑話一樣。

7. 想辦法弄到考古題。有些人食古不化，認為用考古題當參考資料有偷雞摸狗之嫌，殊不知考古題早已成為堂而皇之的公開資料。在許多大學裡，你可以從圖書館或是系辦公室要到考古題，如果你在這兩個地方碰了釘子，那就想法子找以前修過課的學長，或直接拜訪任課老師，開門見山向他要份考古題。反正是要使出渾身解數，不達目的誓不休。拿到考古題後，儘快做個數遍，而且要徹頭徹尾弄懂。

另一個有用的例題來源，是其他的微積分教科書。在學校附近的二手書店裡，你可以買到兩、三年前的二手教科書，價錢一般都不貴，這些雖然是舊書，裡面的數學五年後（甚至五十年後）都不會過時——許多老師就專門從其他教科書裡找考題呢！

8. 用功。許多學生一聽到「用功」兩字就頭大，但實際上，學生終歸免不了要用功。這本書只能告訴你最有效的學習方法，讓

你學習得很快樂——而不是教你如何不讀書就拿高分。如果你讀完這本書，碰到微積分仍然手足無措的話，建議你改行去搞政治，或其他不會碰到數學或更高層次思維的相似領域。

9. 額外做習題。如果你運氣好，碰到一位超乎尋常的勤快老師，給了你們一大堆額外習題，那麼，別的事都可以等一等，請千萬要自動自發的把這些習題做一做！為什麼呢？因為你班上的其他同學幾乎不會有人做！絕大部分學生對額外習題都有一個錯誤的觀念，他們以為額外習題可做可不做，一點也不重要。但情形恰恰相反，額外習題可能會加到學期總成績裡面。如果班上除了你之外沒有人做這些習題，你的成績自然高出所有人一大截，結果，你得到了高分，而別人可能遲早要挨家挨戶推銷雜誌，賺點小錢來餬口。

10. 躲開陰險行為。幾乎毫無例外，考試靠作弊並不會得到好成績。你也許可以靠作弊，騙對了一題兩題，但是數學這玩意兒，絕大部分的知識是累積下來的，所以一開始就得按部就班。面對現實吧！如果你先前是靠作弊，你累積到的知識就是從隔壁同學考卷上瞄來的一個有關「極限」問題的答案，這絕對無法幫助你進一步了解「導數」的觀念。考試作弊的風險高，卻毫無報酬。

　　（我們知道你此刻正在想什麼，準是那句老話：「誠實為上。」似乎許多教授每學期都被要求得這樣提醒學生至少一次，就好像在實踐他們當初成為教授時所簽署的誓約；據說其中有一條是，每位教授在下課時，必須為下一位教授把黑板擦

乾淨。但事實上誓約裡根本沒有這些要求。不過話又得說回來，考試作弊的確只有可能讓你身敗名裂，對你絕不會有絲毫幫助。至於擦黑板嘛，那得看下一位教授我們是否喜歡！）

第 *4* 章

問題的好壞

4.1 幹嘛要問問題？

　　什麼？要我問問題？門都沒有！冒的險太大啦。如果我不小心問了個笨問題，讓人看見了我的蠢相，我的形象豈不就毀了？萬一教授大發雷霆，指著我吼：「你這驢蛋，怎麼連這麼愚蠢的問題也問得出來？現在就給我滾出教室去，順便把你的不及格成績也帶走。」那該怎麼辦？

　　絕大多數的學生都有類似的想法，巧合的是，學期結束時，這絕大多數的學生得到的成績也都不到90分。其實，問問題從來就沒讓學生惹過任何麻煩，相反的，問問題的學生一般都會得到許多好

處。教授打骨子裡就喜愛學生上課時問問題，因為有人問問題，才顯得整班學生正在全神貫注於老師的講課，證明師生配合密切、有意見交流、有互動，當然就能達到預期的教學目的，一切既理想又圓滿！

學生喜歡看到別的同學問問題。為什麼呢？第一，多數學生在上課時不可能真的心無旁騖，這時刻最好有同學提出問題，讓他們可以從容趕上老師的進度。第二，他們可以聽聽哪些地方讓其他同學頭大。而最重要的一點則是，大家可以趁機瞧瞧，問問題的同學今天穿什麼。

在課堂上提出問題，可以達到以下幾種目的：

* 拿來抵免課堂參與的評分。老師有時候會把學生的上課參與度，列為期末考核的一環。若是這種情形，你就必須事先準備一大票合適的問題，適時提出來，這樣才能贏得你的參與分數。否則，教授可能注意到你一直沒有主動發問，於是指名叫你答問題，結果你一時答錯或答不上來，豈不當場丟人現眼？
* 要任課老師解釋某些疑點。如果你的問題問得很恰當，老師偶然會肯把進度擱下，花些時間替你解釋一些疑點。不過這種機會不大，端賴班級的大小跟老師的脾氣，所以這可能是個好的策略，也可能是個壞的策略。
* 要讓坐在你旁邊的人對你產生好印象。修微積分能讓你認識一班新同學，裡面當然不乏你很想結交的異性。在課堂上大概沒有什麼比展現熟練的整合技巧，更能吸引異性的好感啦！

記住，所謂來得早不如來得巧，時間上的安排經常是極重要的

關鍵。如果你要借用4.2節所舉的例子，一定得選擇一個非常合適的時刻去問，才會有效果。

4.2 問題舉例

這兒先舉兩個可能是合適的問題模式，以後在這本書每章闡述主旨的段落裡，這樣的模式還會陸續出現。

1.　「calculus」這個英文字是啥意思呀？

錯誤的答案：當你不刷牙的時候，牙齒上堆積起來的一層堅硬沉澱物（譯注：也就是牙結石。「結石」的英文叫做calculus，複數是calculi，跟「微積分」共用同一個字）。

正確的答案：一種由牛頓跟萊布尼茲發明的數學計算系統，最早是用在求斜率跟面積。

2.　老師！您這雙鞋子超酷，是哪兒買的？

要拍教授的馬屁得趁早，內容無關緊要，拔得頭籌才是首務，晚了就變成東施效顰。

4.3 不該問的問題

1.　微積分有用嗎？

你拿這個問題去問教授，就有如你去問一位跟在大象屁股後面的動物園清潔工說：「你幹嘛要穿這麼難看的橡膠靴子？」對他們而言，答案非常明顯，所以問題本身根本沒有意義。舉凡電學、光

學、聲學、物質、人口增長、經濟學、流行病學、統計學以及集郵
（這只是舉出少數幾個例子而已）的基本理論，全依賴微積分。如果
沒有微積分，經濟學者便不能做非常準確的預測，氣象預報也不可
能變成我們期望見到的完美無缺的科學，此外，電視可能會隨時發
生爆炸，飛機會從天空中掉下來，而香港腳，則會是永遠無法治好
的疾病。

2.　有人剛問過的問題。

　　若你問的問題剛好是別人幾分鐘前才討論過的，那麼你可不會
讓任何人得到好印象。這樣只會暴露出你剛才一直在跟朋友聊前一
晚的狂歡聚會，或是你上課遲到了。

3.　這個會考嗎？

　　有些學生整個學期都在反覆問教授這個問題，這樣做很危險，
因為在考試還未到來之前，教授很可能不記得哪裡該考、哪裡不該
考。你挑他答不上的問題問，豈不是跟他過不去？而且經過你這麼
一問，教授會誤認為你根本不關心課程內容，你只關心成績。這對
教授來說，無異是情感上的侮蔑，人要是覺得被侮蔑了，自然會產
生報復的傾向。所以不管你是否真的只是關心你的成績，都不必把
真相告訴教授。

4.　fig newton 這種小西點的命名是不是為了紀念牛頓？

　　牛頓是歷史上最偉大的思想家之一，他跟高斯（Karl Friedrich
Gauss, 1777-1855）兩個人，是能夠同時名列數學家和物理學家前三
名的僅有兩位。但是在製作小點心上，他的聰明才智實在不怎麼特

出；他嘗試過的小點心製作法全徹底失敗，有人甚至把黑死病的流行，歸罪到他的胡桃小夾心餅上，這個說法很可能是冤枉了他。

　　（事實上，fig newton 之所以如此命名，原因是它最早出現在美國麻省的 Newton，而該城鎮的命名，的確是為了紀念牛頓，所以間接來說，這個問題的答案是肯定的。）

第 *5* 章

準備好了嗎？
來點先修課程

在你準備上微積分的第一節課之前，我們最好花個幾分鐘，複習一下你在高中數學學過的東西。

5.1 你學到了什麼

* 你在國中三年裡，念的實際上只是一些複雜的算術，包括表面上看起來非常唬人的長除法問題。其實大家都知道，這種問題只要有個小型計算機，解決起來一點也不費事。

* 至於高中三年嘛，你總該上過代數、幾何跟三角學吧？
  代數 —— 講的是如何解決一些諸如水流問題（已知船在順流與

逆流時的速率，求船速與水速）的複雜問題。對這些問題，你可以寫出聯立方程式，然後求解。

幾何——告訴我們如何證明，兩條離得很遠的直線（要非常勉強，才能畫在同一張紙上）實際上相互平行。當時你實在搞不懂，居然有人會對這麼無聊的問題產生興趣，不過話又說回來，上生物課的時候，大夥不是也把好生生的青蛙開膛破肚嗎？

三角學——我若不提起，你根本記不得上過這玩意兒，不是嗎？之所以值得單獨提出來，是因為「三角學」是數學用詞裡面，在你尚未接觸到「微積分」之前，最有資格用來嚇唬人的。

5.2 在上微積分的第一天，你應該知道什麼

代數

1.　能夠把像 $x^2 - 6x + 8$ 這樣的式子，因式分解成 $(x-2)(x-4)$。

2.　能夠利用求二次方程式根的公式，找出滿足 $x^2 - 7x + 9 = 0$ 的解。

3.　知道 $x^2 - y^2 = (x-y)(x+y)$，而 $x^2 + y^2$ 沒法因式分解。

4.　知道 $\sqrt{x^2 + 4}$ 並不等於 $x + 4$ 或是 $x + 2$。

5.　知道 $(9x)^{1/2} = 3\sqrt{x}$。

6.　知道 $\dfrac{x^2 x^8}{x^3} = x^{2+8-3} = x^7$。

7.　能夠找出滿足式子 $\dfrac{x-2}{x+4} < 7$ 的所有 x 值來。

對以上所舉的任何一個例子，如果你搞不清楚該如何解答，那

表示你的基本知識還得加強，才有可能學通微積分。

函數表示法

在微積分裡面，函數都是以 f(x) 這樣的符號表示的，譬如：

$$f(x) = x^2 - 7x + 5$$

其中的「(x)」表示 x 是個會變化的量。我們把 x 暱稱為「變量」或「變數」，它擔當的角色，有點像販賣機上的投幣口，你丟個十元硬幣，就掉下一包面紙，如果丟進去的是三十元，掉下來的就是一罐咖啡。函數 f 的情況也很類似，只是不會掉出面紙跟咖啡。你拿個 2 代入 x，就會得到 $f(2) = (2)^2 - 7(2) + 5 = -5$；如果代入 x 的是 3，那麼你得到的就是 $f(3) = (3)^2 - 7(3) + 5 = -7$。

絕對值函數

根據我們當年的經驗，這類函數最容易讓人產生誤解。其實它完全不像一般人心目中的印象那樣，讓我們舉個最簡單的例子：

$$f(x) = |x|$$

你瞧它，一副多麼無辜的樣子，只不過是一個 x，然後在左右各加上一條短線罷了。不過，最重要的一件事，是應該把絕對值函數的真正定義搞清楚。許多人只是靠直覺，自言自語說：「那個嘛，不就是把 x 變成正值的意思嗎？」這個說法基本上並沒有錯，只是不夠明確，照這個說法去解題時，一不小心就會捅出婁子。

正式的定義是：

$$|x| = \begin{cases} x & \text{若 } x \geq 0 \\ -x & \text{若 } x < 0 \end{cases}$$

所以，$f(3) = |3| = 3$，而 $f(-2) = |-2| = 2$。這應該沒有問題。

　　好了，現在咱們要看稍微複雜一點的函數了，譬如 $f(x) = |x - 2|$。有人一看到多了點變化，腦筋就轉不過來啦，其實大可不必爲此手足無措。我們不是把絕對值函數的正式定義寫出來了嗎？在這兒，咱們只要把上面的定義寫一遍，並且把其中的 x 用 x − 2 取代：

$$|x - 2| = \begin{cases} x - 2 & \text{若 } x - 2 \geq 0 \\ -(x - 2) & \text{若 } x - 2 < 0 \end{cases}$$

我們可以把它稍微簡化，重寫一遍：

$$|x - 2| = \begin{cases} x - 2 & \text{若 } x \geq 2 \\ -(x - 2) & \text{若 } x < 2 \end{cases}$$

　　不錯吧！假如我們還需要把這個函數畫出來，又該怎麼辦呢？一點也不難，咱們只需在圖上 $x \geq 2$ 的部分，畫出 $y = x - 2$，在 $x < 2$

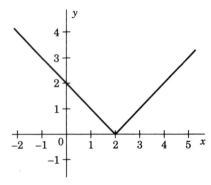

圖 5.1　函數 $f(x) = |x - 2|$

的部分，畫出 $y = -(x-2)$。哇！就得到圖5.1啦。

如果你想標新立異，以便引起某某人的注意，你也可以把絕對值函數另行定義成 $|x| = \sqrt{x^2}$。這跟前面說的定義其實相通，因為不管 x 是正或負，x^2 總是正值，而當我們反過來求一個正數的平方根時，通常會指它的正平方根。不過，這個定義有點勉強，可能會造成一些不必要的困擾，所以除非你對平方根情有所鍾，最好還是避免使用這個看似比較花俏的定義。

幾何

幾何是陪伴你度過青春期的一門重要數學課，它教你做了不少數學證明（假設你沒花太多時間在異性朋友上）。咱們將在本書第7章，快速複習一遍你應該知道的部分，至於那些跟微積分不太有關係的相交等分線、SAS 定理等等，你可以暫時還給歐幾里得。如果在複習之後，你因而開竅，領悟到怎樣才能叫做證明，以及相似三角形究竟是怎麼回事，那樣更好。

三角學

圖5.2裡面包含了大部分你所需要的東西。

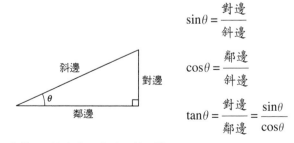

$$\sin\theta = \frac{對邊}{斜邊}$$

$$\cos\theta = \frac{鄰邊}{斜邊}$$

$$\tan\theta = \frac{對邊}{鄰邊} = \frac{\sin\theta}{\cos\theta}$$

圖5.2　一角等於 θ 的直角三角形及其三邊。

此外還有，

$$\csc\theta = \frac{斜邊}{對邊} = \frac{1}{\sin\theta}$$

$$\sec\theta = \frac{斜邊}{鄰邊} = \frac{1}{\cos\theta}$$

$$\cot\theta = \frac{鄰邊}{對邊} = \frac{1}{\tan\theta}$$

　　量角的大小，可以用弧度或是度當作單位。當一個角大到整整轉了一個圓周的時候，我們說它是360度或2π弧度，即$360° = 2\pi$弧度。此等式兩邊皆除以360，就得到$1° = \pi/180$弧度。

　　你應該記下所謂標準角度，亦即0°、30°、45°、60°、90°及180°的所有三角函數值，還得記住這些標準角度各等於若干弧度。

$$1° = \pi/180\text{ 弧度}$$
$$30° = \pi/6\text{ 弧度}$$
$$45° = \pi/4\text{ 弧度}$$
$$60° = \pi/3\text{ 弧度}$$
$$90° = \pi/2\text{ 弧度}$$
$$180° = \pi\text{ 弧度}$$
$$360° = 2\pi\text{ 弧度}$$

　　把度改成弧度非常簡單，你只要把一個角的度數乘以$\pi/180$，得到的數就是該角的弧度值。反之，若把一個角的弧度值乘以$180/\pi$，得到的就是該角的度數了。

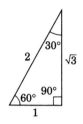 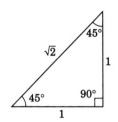

圖5.3 應該記住的兩個三角形。

有兩個特殊的三角形相當管用,就是你在圖5.3看到的30°—60° —90°三角形跟45°—45°—90°三角形。一些特別的三角函數值如 sin(30°) = 1/2,可以一眼就從這兩個三角形圖裡看出來。

如果你需要求大於90°角的三角函數值,譬如120°,不要慌 張,只要依照圖5.4裡的做法,先畫兩條相互垂直的x軸跟y軸,然 後利用120°等於180°少掉了60°的事實,在x軸負邊的上方畫一個 30°—60°—90°三角形,並且讓它的60°角落於原點上。

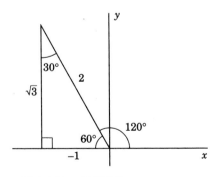

圖5.4 求120°或2π/3弧度角的三角函數值。

由於這個三角形的底邊沿著 x 軸的負邊，故應加上一個負號。如此一來，我們就得到了 sin (120°) = √3/2 以及 cos (120°) = – 1/2。

三角恆等式非常多，不過在你學微積分時，所需要的幾乎就只有一條，那就是

$$\sin^2 x + \cos^2 x = 1$$

這條恆等式無論如何都得背下來。

純粹為了好玩，或是做為你往後的參考，我們順便把一些其他的三角恆等式列舉於下：

$$\sin (2a) = 2\sin a \cos a$$

$$\cos (2a) = \cos^2 a - \sin^2 a = 1 - 2\sin^2 a$$

$$\sin (a + b) = \sin a \cos b + \cos a \sin b$$

$$\cos (a + b) = \cos a \cos b - \sin a \sin b$$

$$\cos^2 a = \frac{1 + \cos(2a)}{2}$$

$$\sin^2 a = \frac{1 - \cos(2a)}{2}$$

你可能終究還是會遇到一種討厭的「反三角函數」，如 arcsin、arccos、arctan 等等。「反」字的意思其實很單純：如果 y = sin x，則 x = arcsin y。不妨舉一個實際的例子。由於√3/2 = sin (60°)，我們就可以得到，arcsin (√3/2) = 60° = π/3 弧度。上述這些就是你目前需要知道有關反三角函數的一切資訊。

合成函數

貝多芬創作（compose）交響樂曲而留名青史。在這一節，我們將告訴你如何去合成（compose）函數。不過，寫歷史的人大概連瞧都不會瞧你一眼，了不起冷笑一兩聲而已。

合成兩個函數的意思是，先運用一個函數求一個變數 x，然後再將另一函數運用到結果上。譬如我們有兩個函數：

$$f(x) = \sqrt{x}$$

$$g(x) = x + 7$$

我們可以先做 f，再做 g，把它們合成起來。寫法是：

$$g(f(x)) = g(\sqrt{x}) = \sqrt{x} + 7$$

結果就相當於把函數 g(x) 裡面的每一個 x，都以 $\sqrt{x}$ 取代。

或者我們也可以倒過來，先做 g 再做 f：

$$f(g(x)) = f(x + 7) = \sqrt{x + 7}$$

這回是把函數 f(x) 裡面的每一個 x，都以 x + 7 取代。

你瞧，得到的兩個函數並不一樣，證明順序在這兒很重要。記住，這兒所採用的順序，跟西餐禮儀中使用叉子的順序剛好相反：在餐桌上，你會發現面前有不只一把叉子，這時應該先拿起擺在最外側、也就是最左邊（洋人是左手執叉、右手執刀）的那把叉子，去吃第一道的開胃菜或沙拉，用第二把叉子吃第二道，一直吃到最後的甜點。如果你打出娘胎就從來沒去過豪華西餐廳、也沒學過這套陳腔濫調，我們的建議是，現在趕緊發憤圖強，把微積分學個精

通，將來賺大錢，然後專挑最昂貴的西餐廳去吃飯，而且隨你高興抓起叉子就吃！

如果你仍覺得疑惑，這兒有個妙招供你參考。且讓我們另取兩個函數：

$$f(x) = \cos x$$
$$g(x) = x^2 + x$$

然後計算函數 g(f(x))。這時該怎麼辦？

我們可以先取函數 g，把等號右邊所有的 x 都加上括號：

$$g(x) = (x)^2 + (x)$$

於是，你就看到了等號左右兩邊都有一樣的(x)，這告訴我們，不論括號裡裝的是啥，只要都是同樣的「如是這般」，這個等式永遠成立。換言之，我們可以把上式寫成

$$g(如是這般) = (如是這般)^2 + (如是這般)$$

在我們的問題中，式子就寫成：

$$g(f(x)) = (f(x))^2 + (f(x))$$

由前面，你知道 f(x) = cos x，把它代進去之後，你就有答案啦：

$$g(f(x)) = g(\cos x) = (\cos x)^2 + (\cos x)$$

厲害吧！你過去六年所學的中學數學，經過我們的一番濃縮，用八頁的篇幅就講完啦。我們的確故意遺漏了許多重要的內容，原因只是它們剛好跟微積分不太有關係，不過，它們雖然跟微積分扯

不上邊，並不表示沒啥實用價值。譬如說，證明兩三角形全等的 SAS 定理，另外還有，計算原價打了七折之後的價錢等等，日常生活裡都少不了它。所以不要喪氣，以為你全都白學了。

　　還有，在你當個青少年的時候，你不但得迎戰青春痘，應付荷爾蒙的衝擊，還得天天面對一個最重要的問題：今天有沒有人願意跟你一起吃飯？在那麼多干擾下，老師居然能把一些知識塞進你的腦袋，可真不容易。

5.3 電腦與計算機：咱們的二位元朋友

　　在這年頭的微積分課程裡，老師可能會另外教你如何使用電腦（跑電腦代數系統）、繪圖計算機、可寫程式的計算機，或者普通的老式計算機。果真如此，你可就踏進了數位微積分的世界了。這些工具不但能迅速而正確的幫你做各種計算，還能擴展你的既有知識，它們讓你在學習的時候，能夠一次同時實驗、處理許多不同的範例，從而對課程主題了解得更透徹。不可諱言的，這些工具也偶爾帶來一些困擾，譬如你有時會找不著電源開關或是 alt-3 鍵。現在就讓我們逐個談談各種不同的可能工具吧。

　　首先談談電腦代數系統。應用在微積分上的電腦代數系統不只一種，各有自己的名字，諸如 Mathematica、Mathcad、Maple，以及 DERIVE。所謂的電腦代數系統，就是一種利用許多公式跟方程式來變戲法的套裝軟體，裡面的程式能替我們做各式各樣的代數問題，比方說，因式分解 $x^2 - 5x + 6$，或是化簡分式 $\dfrac{x^2-1}{x-1}$。

　　其實它們的本事還遠不只此：它們能夠做許許多多微積分的基

本運算,求一些簡單函數(與沒那麼簡單的函數)的導數,以及去判定不定積分跟定積分等等。而這些,全是我們即將在這本書裡討論的各種運算,是構成微積分的基本要素。

聽我這麼一說,你可能按捺不住要問:「等等!如果這些機器能夠解決這麼多微積分問題,我幹嘛要學微積分呢?我可以讓那些機器去幹活兒,我自己只要坐在游泳池邊,喝著五彩繽紛的熱帶飲料就好了。」

其實,電腦壓根兒不了解它自己在幹嘛。不錯,你一把問題輸入電腦,答案就出現在你眼前,但是電腦不會解釋結果,更不會利用這些結果去賺取大把銀子,這部分只有你才能遊刃有餘。瞧,這樣子的安排對咱們人類來說可是一樁好事,要不然,電腦便會取代你到游泳池邊鬼混,而你呢,則必須花整天的時間去學習如何擦拭電腦的記憶晶片啦。

電腦跟計算機在繪圖方面特別在行。在你輸入一個函數之後,電腦不僅馬上把圖形畫好,還能以所有不同的角度顯示出來,並且告訴你什麼地方有峰,什麼地方有谷。如果你手邊有電腦,而你自己又對電腦繪圖技術滾瓜爛熟的話,你就會搖身一變成為繪圖大師,什麼GNP、 GPA、 MTV*,全難不倒你。〔*譯注:這三個英文首字縮寫分別代表:國民生產毛額(Gross National Product)、在校平均成績(Grade Point Average)、音樂電視台或音樂錄影帶(Music Television)。〕

而在使用電腦跟計算機時,最糟的事情莫過於去理解那些小配件,一旦你抓到訣竅,熟悉該按下哪個鍵,你就如虎添翼了。但是在熟悉之前,你可能得經歷一段最讓人不安的摸索期;太多的學生常為了要尋找一個指令,折騰一個小時,然後才發現自己拿錯了使用手冊。所以,關鍵在於善加利用機器的力量。

　　那麼，要怎麼善加利用呢？最好的方法是請人實際做給你看。抓住同學、任課老師或是電腦公司的諮詢人員，請他先做示範，然後看你實地操作好幾個範例。務必要求他把示範做得徹頭徹尾，從開機到結束。由於與計算有關，所以即使整個過程你只有1%不知道（譬如不知道你的帳號放在哪個目錄之下，或該怎麼叫出程式），電腦便會拒絕跟你合作。因此，先找個人看著你做。

　　在你執行運算的過程中，電腦不時會給你一些考驗，它會把你的檔案弄丟，或者變得不聽使喚，根本不理會你的指令，再不然就是測試你有沒有發瘋。一般人的反應多半是：「唉呀！我準是按錯了什麼，這下慘啦，這門課看樣子是當定了，老天幫幫忙吧！」這時，正確的反應應該是：「我敢說坐在那邊的超酷上網族，會願意過來幫我瞧瞧我的電腦究竟出了什麼毛病。」不妨把這些突發狀況當作磨練社交技能的實驗機會，而把電腦室當作你個人的人際關係培養皿。

　　在微積分裡，還有其他許多地方用得到電腦跟計算機，譬如，它們對於一般的極限，特別是發生在導數中的極限過程，能夠提供相當好的直覺。在討論數值積分的第22.5節，就涉及到大量數值的相加。此外，在書裡的其他相關部分，我們也附了一些簡短的程式，可以拿來使用在可寫程式的計算機或電腦上，做些運算。

　　總之，計算機跟電腦可以成為學習微積分時的有效輔助工具，它們為今天的一般學習者，提供了前所未有的理解機會。利用這種工具來探索微積分的多采多姿，你就更能深刻了解它。

第 *6* 章

如何應付考試

　　你是否曾經在考完試後，發現答錯了不該答錯的地方，於是氣得直跳腳，自怨自艾的說：「考卷上的問題我全都會做呀！」但是不知怎麼的，在面對考題的時候，明明該取平方，卻取了平方根，該用弧度，卻用了度。這種倒楣事兒要怎樣預防，才不至於歷史重演呢？

　　大部分的學生都不了解，其實學數學跟學語言非常相像。譬如你初學法語時，學會一句重要的關鍵用語，像是「Où est la toilette?（請問廁所在哪兒呀？）」，頓時覺得信心十足。於是你買張機票飛到法國去旅行，滿以為可以如魚得水，暢遊一番。實際上卻是，你待在巴黎的兩星期裡，別人都在忙著吃美味的點心，看著古老的名畫

出神，而你只能問當地人最近的公廁在哪裡；所謂不經一事、不長一智，這時你才眞正體會到，學語言貴在多學習多練習。

學數學跟這沒兩樣，僅僅知道一點皮毛根本派不上什麼用場。你必須滾瓜爛熟，深諳其中的道理，這樣才能一見到考題，就馬上知道下一步該怎麼走，一切似乎變成了你天生就具有的一部分。

當然，在練習做到滾瓜爛熟之前，你會希望先掌握重點，避免走冤枉路。什麼是重點呢？當然，就是考卷上會出現的東西。

6.1 會考些什麼

想打聽會考些什麼，最直接的消息來源當然是任課老師啦。但不同的老師有不同的做法。有的老師可能會列出一張課程大綱，裡面會指出考試範圍，也有老師會在課堂上宣布考試重點。

不管他們的喜好如何，絕大多數的老師都是在考前那個星期，才會出考題，在此之前，可能連他們自己都不知道會考什麼題目。（當然，凡事都會有例外，特別是有些老師不喜歡每遇考試就得絞盡腦汁出題，所以他們會用個一勞永逸之計：準備兩套考題，輪番使用。）

事實上，教書先生都討厭考學生，因為準備考題是吃力不討好的事，批閱考卷更是可怕的夢魘。如果他們能找到其他方法督促學生用功念書的話，你就再也不用擔心考試了。

天堂裡的微積分

兩位老教授坐在教員休息室裡喝茶聊天，談到他們是多麼喜愛教書，又多麼厭惡出考題。

　　其中一位說：「我敢打賭，在天堂裡一定沒有考試！因為所有來上課的學生都做好了預習，當老師的也就永遠不需出題考試和評分。」

　　另一位聽了直點頭說：「要真是那樣就再理想不過啦！這樣吧，咱們哥倆現在訂個約，誰先翹辮子，誰就要記得回來告訴另外那位，在天堂裡教微積分是怎樣的情形。」

　　第一位老先生不假思索就一口同意：「咱們就這麼辦！」

　　一星期之後，第一位老教授不小心踩在別人丟棄的保險套上，滑了一大跤，就離開了這個世界。當天夜裡，他果然依約來到第二位老先生的夢裡，第二位老先生非常興奮的問道：「快告訴我，那邊的情形究竟如何呀？」

　　第一位老先生慢條斯理的回答道：「我有好消息也有壞消息。好消息是，天堂裡也有微積分可教，而且我必須告訴你，那兒的學生真是好極了，既熱中於課業，又用心聽講，老師們的美夢真的成真了。有如此的好學生，當然用不著考試！叫它天堂，可不是亂蓋的。」

　　第二位老先生聽了非常高興，興沖沖的說：「哇！果然是一等一的好消息。那麼你說的壞消息又是什麼呢？」

　　第一位先生聳了聳肩，答道：「你的課將排在星期一。」

　　隨著考試日近，任課老師很可能才發現，有些應該要考的重點還沒在課堂上討論過。所以，若是老師在考前加開複習課，不管你是喝濃咖啡也好，拿鐵錐刺大腿也罷，一定要想辦法集中注意力，聚精會神，一個字也不能漏掉！

6.2 如何K書

1.　把老師指定的習題看過一遍。如果沒有時間全部再做一次，你可
　　以把所有的習題列出來，然後從每一節任選一題來單挑，如果你
　　被打敗了，那就表示你得複習那一節的內容。你若是肯花功夫把
　　所有的習題全都這麼複習過，這次考試便成了你的囊中物啦。經
　　驗告訴我們，只要你熟悉老師指定的習題，就會考得高分。

2.　去發掘考古題，然後全做一遍。這對性格比較積極進取的學生
　　來說，是穩拿高分的一項保險措施，因為對老師來說，用過去
　　的舊題目來炒冷飯，遠比設計出全新的題目要容易得多。你若
　　當了教授，就會了解出考題的確不簡單，題目不宜太過容易，
　　也不能難到變成無解（儘管後面這項限制，有時也不免遭到忽
　　略），題目裡用到的數值，都得精心設計過。所以，老師寧可把
　　過去兩年用過的的舊考題翻出來，略加修改。（至於年代更久
　　遠的考古題，天知道給積壓在哪一堆紙張中！）

3.　請專家指導。當你發現有個問題不知道該如何解，也看不懂教
　　科書裡彎來繞去的解釋，這時該怎麼辦呢？告訴你，這種情況
　　就是吃這行飯的專家派上用場的時刻了。你最先想到的，當然
　　是教你的教授或助教，但是不巧，此刻他們多半：

＊　正在睡覺，因為現在是凌晨三點鐘。

＊　已經被247位學生包圍。

＊　不知躲到哪兒去啦，怎麼也找不著。

　　怎麼辦？急得去撞牆？千萬別做這種於事無補的傻事。你還有

另一個寶貴的資源沒有利用呢——那就是你的同班同學。

4. 請業餘高手來協助。一般說來，當學生搞懂了一個題目，譬如分部積分法，這時讓他們最高興的莫過於能現買現賣，解說給那些還沒開竅的同學聽。如果你能找到一位女同學，剛好在你前晚熬夜以致於隔天神志恍惚的那堂課上，聽懂了老師的講解，而且願意為你講解，這豈不是一椿非常值得自豪與高興的事嗎？你也可以退而求其次，找去年修過課的學生幫忙，只不過他所記得的東西，正確性得打個折扣。不管怎麼說，由學生給你解說還有一項優點，就是他們不太可能使用一些如「由單位區間的完備性及緊緻性可知」或「利用皮亞諾的第三公理」的詞彙來解釋。

5. 模擬考試。一般人在讀著解答本或細看一個做出的解時，常以為自己都懂了，其實有些東西你只是似懂非懂，你只是在不知不覺中，讓自己以為你解出了一道題目，但當一進考場，見到考題的時候，你的腦子裡頓時一片空白。這時該怎麼辦呢？你可以假想自己在考試，測試對一個題目究竟了解多少。先蒐集一些考試範圍內的題目，各種類型的都隨便選上一個，然後給自己一個小時作答，看看成績如何。如果你在這種模擬狀況下都沒有問題，那就一切安啦！

6.3 如何不為考試而K書

1. 收起你的紅筆或螢光筆。不要再用筆在書上畫重點，因為這種老掉牙的讀書方法，根本就是浪費時間，不會有效果，充其量

只能用來催眠。勤做習題才是正途。

2. 別三不五時的追問教授會考什麼題目，除非他完全忘了這回事。教授都非常討厭這類問題，而且幾乎永遠不會給你任何有用的答覆。其實不問也知道，題目一定跟去年或前年考過的大同小異。與其浪費時間去灌教授迷湯，遠不如回宿舍做習題有用。

6.4 應考須知

1. 準時到達教室。任何遲到的藉口都非常難獲得老師的諒解。
   一個跟輪胎有關的藉口：兩位同學在考試前夜喝得大醉，打算一覺到天亮，但隔天卻睡過頭了，他們知道麻煩大了，於是說好跟教授說，他們在來學校的路上，車子爆胎。教授聽了，對他們說：「沒關係，你們今天下午五點到我的辦公室來，我給你們補考。」他們心裡暗爽，馬上從剛考過的同學那兒，打聽到所考的試題，也搞清楚了正確的解答方法。當天下午，他們去辦公室報到，教授卻告訴他們：「把書留在我的辦公室，然後我要你們在兩個房間裡考試。」兩位同學起先還忐忑不安，等拿起考題一看可真是喜出望外，考卷上一個字也沒有改。不過，另有一頁紙用迴紋針夾在最後，上面寫著：「下面這題占成績之50%：請問今天早上是哪一個車輪爆胎？」

2. 看清楚每個問題。在你開始作答之前，一定要確知問題在問什麼。我們當老師的就經常遇到，許多聰明的學生寫下一些很漂亮的答案，可是答非所問，因為他們一時大意，誤會了題意。

3. 先做容易的題目。有太多學生最常犯的錯誤，就是按照考題的次序解題，這麼一來，一碰上難題，就經常得花上太多寶貴的時間。偏偏有些教授還特別喜歡來個下馬威，把難題放在前面，把學生考得慘兮兮。

4. 多少爭取一些部分的分數。千萬、千萬、千萬（沒錯，就是三千萬）不要讓題目空著。要知道，教授都希望多給幾分，因為斟酌給個幾分，是一種強迫性的人類本能。就怕你一個字也不寫，那他就愛莫能助了。當然，你若是要寫些東西，也不能太過天南地北，最好還是要跟問題有關才行。如果是純文字題，可以畫圖，表示你了解問題問的是啥──在圖上標示幾個變數就更好了。如果是作圖題，就加上該有的座標軸，標上 x、y、z，另外再畫上幾個點。總而言之，不管你怎麼寫，就是不要留白。

5. 不要急著把寫錯的答案塗掉。尤其是在最後五分鐘，千萬不要一時情急而把整頁擦掉。如果你真的無法控制住情緒，就在你認為答錯的部分，畫上一條斜線就好。如此一來，萬一你並未答錯，心腸軟的教授都會假裝沒看見那條斜線，了不起扣你幾分而已。

6. 不要提前繳卷；檢查你的答案。絕不、絕不、絕不（不錯，就是三個絕不）在鈴聲響起之前，繳卷離開。作答完畢後，應該利用多餘的時間從頭到尾仔細檢查一遍。可另外在草稿紙上重做一遍，要是答案不一樣，趕緊找出哪一個對，而且愈快愈好。還有一點值得特別注意，那就是應該想想答案是否合理。譬如說，問題問的是在 1993 那一年，哇拉哇拉市內一共閹割了幾隻狗？而

你的答案居然是 − 4596（注意是負號），那麼一定是錯的。

這條「不要提前繳卷」規則的唯一通融就是，如果你的教授受過六○年代嬉皮思想的影響，主張考試不該限時。也就是說，在考了一整天之後，太陽開始落山，其他同學皆已離去，教室裡只剩下你跟教授兩個，這時你就該收拾一番，準備繳卷啦！

7. 考卷發回來後，仔細查閱一遍。在一個有一百個學生的班級裡，每次考試都很可能至少有一個學生，被少算了一些應得的分數。原因其實很簡單，當老師一口氣評完前四十五份考卷，而每個人都寫著 $\dfrac{dy}{dx}$，這時候如果你寫著 $y'(x)$，他就會覺得非常陌生，於是畫了個大叉。所以如果你發現考卷上有任何地方，被扣了分數而你搞不清楚原委的話，一定要去請問教授或助教。甚至在你並不懷疑分數有錯的情況下，也不妨虛心求教，了解你錯在哪裡，將來才不會再犯同樣的錯誤。

在向他們求教時，千萬不要說出：「我認為我這題應該多得幾分，因為我原來就會做，只是沒時間做了！」或「我當時想到的是正確的答案，但是寫的時候寫錯了！」只有毫無經驗的老師，才有可能相信這些鬼話，至於其他的老師，搞不好還會再仔細檢查考卷上其他部分，挑毛病多扣你幾分。教授最厭惡學生無理取鬧，要求不應該得到的加分。若不信邪，不妨去試試。

8. 不要求情。有九成九的教授，不會因為你跑去跟他說如果你被當掉，你的老媽就會拒絕繼續替你付貸款買車，而幫你加個幾

分；雖然現在的確有少數缺乏經驗、或心腸特別軟的老師，會因為你的求情，有限度的奉送分數。但是即使讓你一時得逞，在內心深處你將永遠記得，那些分數事實上不是你應得的，終有一天，你心中的罪惡感會逐漸擴展，取代了原先的喜悅，逼使你去借酒澆愁，逃避良心的譴責。

最後，你終會從爛醉中醒來，發現自己齷齪不堪、蓬頭垢面、神色憔悴、頭疼如搗、舌若砂紙，這時你才大夢初醒，了解到自己竟已經付出如許慘重代價！於是，你必須回到數學系大樓，去找那位菩薩心腸的教授，向他懇求說：「拜託！請你再行行好，把那些我以前跟你要來的分數拿回去吧，我實在消受不起啦！」教授見到你這副德行，會說：「你是誰？我根本不認識你，我的學生沒一個像你這樣邋裡邋遢！」於是他按了警鈴把校警叫來，你就被他們架了出去，像垃圾似的丟到鄰近的貧民窟去了。所以，就省省事吧，免得自取其辱。

譯按：說到這兒，譯者有些切身感觸，如鯁在喉，不吐不快。台灣補習風氣鼎盛，原因是在的確有效，落榜學子經過補習班幾個月薰陶之後而金榜高中的，比比皆是。

讓人納悶的是，幾年下來的正式學校教育，似乎抵不上幾個月的補習學習！如果依照統計數據，那麼應該把勞民傷財的正式學校關門大吉，由政府利用空出的校園辦理補習班，由於補習班既有的超高效率，理應可以辦一年停兩年，如一定要年年都辦的話，則每年只需要開門三個月。老師們自古以來勞苦功高，仍然給他們全年支薪。學生

嘛，國高中各三年的課程，只消兩個學期全「補」完啦，其他時間都可以放假，愛幹啥就去幹啥。而且四個學期補習班補完之後，由於補習班升學率高，是以全部都金榜題名，進入國立大學當大學生去也（Oops! 這兒不太逗得攏，邏輯上似乎有點問題）。如此皆大歡喜的事，怎麼那些口口聲聲要改革教育的大人物們，都有看沒有見呢？

事實上，補習班說得不好聽，只是學校系統的寄生蟲而已，它本身的教育功能根本不大，主要作用是在教會學生如何去應付考試，能夠完全發揮已經具有的潛在程度或實力，考得你原來應該得到的分數而已。而它最有效的利器根本不是一般在標榜的什麼「名師」（名師只有在一對一的教學中能凸顯出差別來，在大班裡他跟放放CD實在沒啥兩樣），那只是障眼術裡的幌子跟套牢生意的廣告賣點，真正的關鍵是它無休無盡的模擬考試轟炸，其目的就是要把你那眼高手低的劣根性改正過來。

問題是考模擬考試一定得花冤枉錢進補習班嗎？聰明的讀者應該已經悟出正確答案，用不著我來囉唆了。

第 *7* 章

直線、圓、圓錐曲線幫

7.1 笛卡兒平面

　　所謂笛卡兒平面（也稱為座標平面或 xy 平面），就是用來描述你在上面畫圖的那張紙的那個平面，表示的方法就是把其上的所有點，都用兩個數標示，這兩個數就叫做座標，寫成(2, 7)或(3, 12)等等。一般的寫法就是(x, y)，其中第一個數叫做 x 座標，而第二個數則叫做 y 座標。另外你得特別選出一個參考用的定點，稱為原點。於是，座標裡的 x 表示該點在原點的右側，水平距離等於 x，而 y 則表示該點在原點上方、垂直距離等於 y 的位置。請看圖 7.1。

　　笛卡兒（René Descartes, 1596-1650）是法國數學家，也喜歡搞

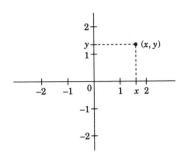

圖7.1　笛卡兒平面

哲學（說過「我思故我在」），他在十七世紀提出了座標平面的觀念。（好吧好吧，不講歷史了，改講一則小笑話：有一回，笛卡兒難得把工作暫時擱下，去參加一個派對。主人見到這位稀客，馬上熱情招呼他：「老笛！來杯酒如何？」笛卡兒回答：「我不認為我想喝。」話一出口，他的人就不見啦！）

也許是因為笛卡兒不是左撇子，所以把x座標定為原點右方的距離，而非左方。同樣的，因為他一生住在法國，而不是住在澳洲，所以y座標的方向是朝上，而非朝下。另外值得一提的是，「笛卡兒座標系」的英文是用cartesian這個字，而不是從他的姓氏變化成的descartesian，這是因為他的拉丁文姓氏是Cartesius，而那個年頭的學術論文一概得以拉丁文發表。

在笛卡兒公布這項發明之前，幾何（三角形、圓等等）跟代數（解方程式）是獨立不相干的兩門學問。有了笛卡兒的平面座標系統之後，情況大變，一個像y = 3x的方程式變成了一個可以畫出來、眼睛看得見的圖。這在當時真是曠世突破，造成西方學術界極大的轟動跟慶祝活動。不過話說回來，在十七世紀那樣古早的年代裡，

再大的慶祝活動，也不過是大夥當天夜裡不必再光啃大頭菜了——餐桌上會破例出現難得吃到的野豬肉。

7.2 一般繪圖妙方

好啦！每個人都知道如何畫函數，對吧？方法就是隨便挑五個數，一個個代入 x，找出相對應的五個 y 值來，把這五點畫出來，最後再把這五點連起來就大功告成了。如果你要更精確的圖形，那就多找些點，譬如用十五個點來畫。

這是最基本的繪圖方法，誰都會做。但是這方法顯然有一些缺點，比方說，圖 7.2(a) 的確取了六個點，然後連起來，但連出來的線完全沒有表示出我們要畫的函數 1/x 的一項特性：當 x 從右邊趨近 0 的時候，1/x 會趨近於 +∞，而從左邊趨近 0 時，則趨近於 -∞。我們是假定點跟點中間，沒有啥了不起的變化會發生——這種假定有時候是錯的。

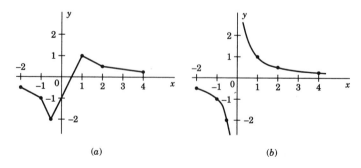

圖 7.2　(a) 用連接幾個點的方法畫 y = 1/x 的圖形，所得到的錯誤答案。
　　　　(b) 正確的圖。

　　又譬如我們真的需要知道，一個函數的最高點的位置，我們總不能賠上一整天的時間，去一個點一個點的找吧。有了微積分，這種問題解決起來不過舉手之勞，快速之至。

　　當你遇到一些從未謀面的函數時，你可以按照一些通則，大約看出作出來的圖形的長相。現在就讓咱們以拋物線函數 $y = x^2$ 為例，來瞧瞧這些法則要如何運用（請看圖7.3）。

拋物線的寓言

　　從前有個小拋物線，因為受到太多好萊塢電影以及形象廣告工業的影響，自慚形穢，總覺得自己身材不好。他整天在報紙、電視上看到身形美麗、體態婀娜的曲線，看得他自嘆弗如。簡言之，就是他已失去了自信。他的爸媽，糖罐子夫婦，看看拿他沒輒，只得送他去看心理醫生。

　　心理醫生跟他簡短談過之後，直截了當的說：「問題出在，你很醜。」小拋物線聞言大吃一驚，尖聲叫道：「我要再找位醫生，聽聽不同的意見！」

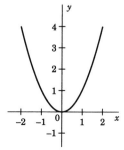

圖7.3　拋物線 $y = x^2$ 的圖形

　　「那好吧，」心理治療師回答道：「你要聽不同的意見，我馬上可以給你一個——你不但醜，還很愚蠢。」說完他停了一會兒，然後接著說：「不然的話，你就不會成天對自己的外表耿耿於懷，而是會把注意力放在你的數學內在了。唔，在這方面，我幫不上一點忙，不過我認爲我們倒是可以想辦法改善改善你的身材曲線。」

　　所以，小拋物線接受了一整套整容手術。乘上 5 之後，他就變高變瘦了，再加加減減幾個數字，就讓他搬了家，換了一個新的環境，交到新的朋友。經過了相當的自我成長，小拋物線終於找到了他內心的小孩。但是不幸的，他內心的小孩仍然非常難看而愚蠢，不過那已經跟本故事無關，是另一個故事了。

如何搬動 $y = f(x)$ 的圖形

＊　加一個常數到式子的右邊，會讓圖形上下移動。譬如 $y = x^2 + 2$，就把原拋物線上移了 2 單位的距離（見圖 7.4a）。

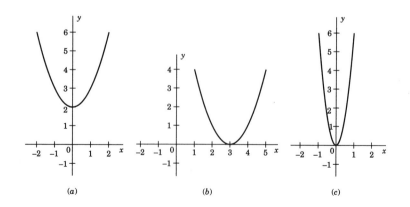

圖 7.4　拋物線 (a) $y = x^2 + 2$，(b) $y = (x - 3)^2$，(c) $y = 5x^2$。

* 加一個常數到變數 x，會讓圖形左右移動。譬如 $y = (x - 3)^2$，就把原拋物線向「右」移動了3單位的距離（見圖7.4b）。若是以 x + 5 取代 x，則會把拋物線「左」移5單位。

* 把函數乘以一個正的數，就會讓圖形長高或減肥。故事裡是把函數乘以5，讓原式成為 $y = 5x^2$，如此一來，原拋物線一下就被向上拉長了五倍，身形頓時從原先的廣口碗變成了細長的花瓶（見圖7.4c）。羨慕那樣的身材嗎？把你自己也乘以5吧。試試看，縱容自己一次，用10來乘——人永遠不嫌自己太瘦。

* 在等號右邊乘上一個負的常數，就會讓原圖形以 x 軸為軸倒轉過來。所以，$y = -x^2$ 的圖形就是把原先那只廣口碗翻過來。現在如果家裡所有的燈罩都被拿走了，你可以把它戴在頭上去參加微積分派對。

7.3 直線

「直線」的英文字 line，也是「台詞」的意思。我們往往會對某些經典台詞琅琅上口，譬如：「我是不是在哪裡見過你？」、"Show me the money!"（電影「征服情海」）、「你看得出來，我每天只睡一個小時嗎？」

要製造新的台詞其實不難，有現成公式可用，譬如：「你不妨到 x 來，我會讓你瞧瞧我的 y。」其中的 x = {我的房間、我的樹屋、淡水} 的任何一個，而 y = {收藏、蜥蜴寵物、淡水魚丸} 的其中一個。公式中的 x 跟 y 是變數，可以用各式各樣的東西取代——這就是所謂的台詞公式。

在數學裡也一樣，有直線的公式，裡面也有一個 x 跟一個 y，而

且不會出現可怕的字眼（沒有 tan、sin 等等）。這個 x 跟 y 長得非常稀鬆平常——既不是住在「分母」裡面，也不會被抬舉為「乘方」。

下列三個方程式，代表三條不同的直線：

$$x = 3 \qquad\qquad 很好$$

$$x + y = 3 \qquad\qquad 很好$$

$$x = 1 - y \qquad\qquad 很好$$

而下列兩個方程式，則不是直線方程式：

$$e^y = \sqrt{x} \qquad\qquad 不妙$$

$$y = e^x + \arctan x \qquad\qquad 不妙$$

現在來點變化，看看底下三個方程式：

$$x + 4 = y - 3 \qquad\qquad 很好$$

對啦！是一條直線。但是

$$xy = x + 1 \qquad\qquad 不妙$$

不是一條直線；儘管不能算是太離譜，但是其中的 xy 項提供了足夠的偏差，使它無法成為直線。

$$\frac{2 + x}{y} = 3 \qquad\qquad 很好$$

上面這個方程式是一條隱藏得很好的直線！如果把方程式兩邊都乘以 y，看起來就舒服多了：

$$2 + x = 3y$$

　　讓咱們舉一個例子，然後把相關的所有可能問題，全提出來一一解答。

例題　4x − 2y = 2

　　第一題：(1, 2)在此直線上嗎？

　　抱歉，它不在這直線上，因為4(1) − 2(2) = 0 ≠ 2。

　　下一題：要如何找出這條直線上的點？

　　這個嘛，一條直線上可是有無數個點，這要怎麼找呀？就讓咱們用最容易的方式來解決這個問題。我們先瞧瞧這條直線跟x軸及y軸的交點在哪兒。這兩個交點分別叫做x截距跟y截距，它們很容易找，因為各自有一個座標值等於0。說得更精確些，點(0, y)就是y截距，而該點的座標滿足我們的方程式：

$$4(0) − 2(y) = 2$$

$$2(y) = − 2$$

$$y = − 1$$

所以我們這條直線的y截距就是(0, − 1)。

　　我們可以用同樣的方式找出x截距，只要令y = 0，求x：

$$4(x) − 2(0) = 2$$

$$4(x) = 2$$

$$x = \frac{2}{4} = \frac{1}{2}$$

所以這條直線的x截距就是($\frac{1}{2}$, 0)。

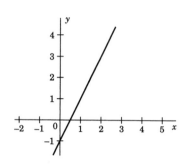

圖 7.5   直線 $4x - 2y = 2$

　　現在，由於我們知道了這條直線上的兩個點，我們就可以畫出這條直線了（如圖 7.5）。

　　重要注意事項　當你畫一條直線時，能滿足方程式的任何兩個點都可以拿來使用，沒多大差別，所以如果你嫌上述方法太簡單，你也可以找出另外兩個點來。比方我們一眼就看出 $(1, 1)$ 跟 $(3, 5)$ 也滿足該方程式，在圖上把這兩點用直線連起來，得到的還是同一條直線。你說，奇怪不奇怪？

直線的斜率

　　下一題：該直線的斜率是多少？

　　所謂直線斜率，是指該直線傾斜程度的一種量度。度量的方法是先隨機截取一段水平距離（run），然後找出該直線在這段水平距離裡的高度變化（rise），再把高度變化除以水平距離，得到的比率就是直線斜率。

　　run 與 rise 這兩個術語源於古埃及人，他們每年在尼羅河即將氾濫、河面即將上升（rise）之際，必須及時逃跑（run）；老百姓得

在心裡算計好「河水上漲與跑步距離之間的關係」，這樣才能在汜濫期到來前幾個月，把體格鍛鍊好，才不至於淹死。最後，有人想出一個極為聰明的辦法，建築出宏偉的金字塔，讓人們可以爬上金字塔等洪水退去，而不必整整憋氣三個月。

如果(x_1, y_1)跟(x_2, y_2)是直線上的任何兩個點，該直線的斜率就可由下式得到：

$$斜率 = \frac{垂直距離}{水平距離} = \frac{y_2 - y_1}{x_2 - x_1}$$

若把這個式子應用到上述的範例，我們可以取兩個點為：

$$(x_1, y_1) = (\frac{1}{2}, 0)$$
$$(x_2, y_2) = (0, -1)$$

因此斜率就等於：

$$\frac{y_2 - y_1}{x_2 - x_1} = \frac{(-1) - 0}{0 - (½)} = \frac{-1}{-½} = \frac{1}{½} = 2$$

讓我們用直線上的其他兩個點，$(1, 1)$跟$(3, 5)$，另外計算一次：

$$(x_1, y_1) = (1, 1)$$
$$(x_2, y_2) = (3, 5)$$

斜率仍等於：

$$\frac{5 - 1}{3 - 1} = \frac{4}{2} = 2$$

傳統上，斜率都是以m來代表，不過為什麼用m卻不得而知；跟斜率一詞同義的英文字，包括slope、hill、incline、obliquity、 cant、diagonal、slant、tilt等等，不但都不是以m開頭，就連字的本身也找不到m這個字母。

有的時候，「這條直線的斜率是多少？」這問題的答案是：「我不知道。」比較正式的說法則是：「它的斜率不存在。」要知道原因，就拿張紙來，先按規矩在紙上畫相互垂直的x軸跟y軸，然後另外再隨便畫條直線。你隨意畫的直線，幾乎都會跟x軸僅僅交會一次（交點有可能在紙外），而跟y軸也僅僅交會一次。只有那些一早心情就不爽的人，才會畫出一條跟x或y軸平行的直線，也只有那些一整天都不爽的人，會畫一條跟軸重疊的直線。我們不妨稱這些特殊直線為「挑戰截距的」直線，給它們特別的關懷。

那些跟其中一個座標軸平行的直線只有一個截距（跟另一個軸），它們的方程式看起來也滿有意思的，變數只剩下了一個，就像$3y = -14$。你也可以這麼說：其中一個變數去休假了，而休假的這個變數的軸就跟你的直線平行。所以，直線$3y = -14$就跟x軸平行。這其實很容易從方程式上理解，因為它壓根兒不在乎直線上各點的x座標是啥，只在乎y座標得滿足$3y = -14$或$y = -14/3$。

至於x跟y軸本身，我們現在還不準備討論，因為它們的情緒太過「敏感」了。

直線方程式：標準形式

直線方程式的基本形式有兩種：

1.　點斜式：

$$y - y_0 = m(x - x_0)$$

這條直線的斜率是m，並且通過點(x_0, y_0)。

2. 斜截式：

$$y = mx + b$$

這條直線的斜率是m，而y截距為b。

所以，方程式為 y – 2 = 4(x – 3)的直線，一看就知道它的斜率是4，並且通過點(3, 2)。用代數方法把同一個方程式簡化一番之後，它就變成了 y = 4x – 10，顯示斜率仍然是4（還好是4，要不就慘了），而y截距為 –10。

7.4 圓

圓所扮演的角色也很重要。假定咱們要弄出一個圓的方程式，而且規定這個圓的半徑是r，圓心落在xy平面的點(a, b)上，也就是說，圓上的每一點(x, y)，跟點(a, b)之間的距離都是定值r。從畢氏定理，我們知道(x, y)跟(a, b)之間的距離等於$\sqrt{(x-a)^2 + (y-b)^2}$，所以點(x, y)必須滿足：

$$\sqrt{(x-a)^2 + (y-b)^2} = r$$

所以，

$$(x-a)^2 + (y-b)^2 = r^2$$

這就是以r為半徑、以點(a, b)為圓心的圓的方程式，如圖7.6所示。

關於圓，可說的就這麼多了——應該說差不多就是這麼多了。如果某天，你突然碰到一位其面不善的大個子，眼露絕望之色，手

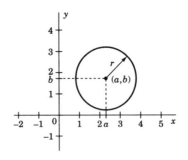

圖7.6　半徑爲r、圓心在(a, b)的圓

裡牽著一隻兇悍的德國警犬，遞給你一張字條，上面寫著：

$$x^2 - 4x + y^2 = 6$$

然後衝著你說：「告訴我這方程式究竟在講啥，否則我的來福會把你當成消防栓，在你身上撒尿！」

　　你可能會想，天下哪有這樣的事情！殊不知這檔子事在紐約中央公園裡司空見慣。他給你的這條方程式看起來像是一個圓，但又有些不對勁，且讓我們稍稍處理一下。首先，將帶有x的項跟不帶x的項分開：

$$(x^2 - 4x) + y^2 = 6$$

　　你馬上就會注意到，如果加一個4到括弧裡，它就變成一個完全平方式了。當然，你不能只在等號的一邊隨便加個4，在等號的另一邊也要加上：

$$(x^2 - 4x + 4) + y^2 = 6 + 4$$

$$(x - 2)^2 + y^2 = 10$$

如此一來，就可看出它是個半徑為 $\sqrt{10}$、圓心在點(2, 0)的圓。

　　好了！至少對來福跟微積分來說，跟圓有關的東西你需要知道的就這麼多了。

7.5 橢圓、拋物線、雙曲線

　　這幾個傢伙自稱為「圓錐曲線幫」，原因是它們的出身一樣，都來自於把一個圓錐用平面切開的結果，之所以長相不同，完全是切的角度不一樣。雖然它們一塊兒出現時，有時真叫人心驚膽戰，但是在落單的時候，可一點橫行霸道的氣息也沒有。

橢圓

　　這是一個學圓學得不像的怪胎，只怪它為人處世不夠圓滑。它的標準方程式如下：

$$\frac{x^2}{a^2} + \frac{y^2}{b^2} = 1$$

式子中的 a，是該橢圓沿著 x 軸方向的「半徑」，而 b 則是沿著 y 軸方向的半徑（圖 7.7），且中心點落在原點上。

　　若是想移動它的中心點，我們只需要塞進某兩個常數。以下就是同一個橢圓的方程式，只是它的中心點從原點移到(x_0, y_0)了：

$$\frac{(x - x_0)^2}{a^2} + \frac{(y - y_0)^2}{b^2} = 1$$

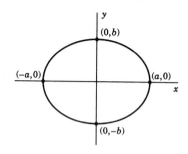

圖 7.7 　橢圓

　　這種平移技巧只能算是最起碼的小兒科，我們當然還可以把它轉一個角度，變成歪歪斜斜的橢圓。拋物線跟雙曲線同樣可以斜一個角度。不過，這種方程式很古怪、棘手，極不可能出現在你目前的微積分課程裡。

拋物線

　　我們已經在前面討論過拋物線了，這樣就只剩下那極容易亢奮的曲線──雙曲線了。

雙曲線

　　雙曲線這種曲線，看起來最需要鎮靜劑的幫助，它同時朝兩個不同的方向射出去。不過它的方程式倒是滿簡單的：

$$y = \frac{1}{x}$$

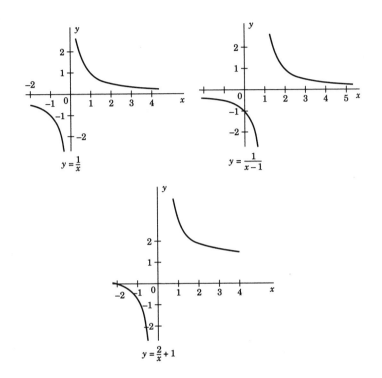

圖7.8　各種雙曲線

　　如同前面處理過的拋物線、橢圓，我們也可以在它的方程式裡做點手腳，改變它的位置或形狀（見圖7.8）。

　　我們從另一種形式的方程式，如$y^2 - x^2 = 9$，也可以得到雙曲線（見次頁圖7.9）。你或許已注意到這個方程式有些奇怪，當$y = 0$時，x無解，所以它的曲線不會跟x軸相交。

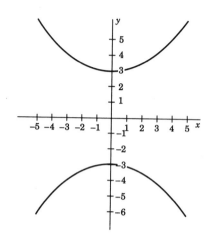

圖 7.9　雙曲線 $y^2 - x^2 = 9$

函數圖故事一則

　　有位教授在教室的地板上畫了 x 軸與 y 軸，然後每說出一個函數，就叫學生「走」出該函數的圖形，他把這種教學法稱為「應用數學」。一天，有學生上課時帶來了他的狗，教授很生氣，對該生吼道：「把狗趕出去！我不允許狗進我的教室！」

　　「但是我的這隻狗不是一般的狗，牠會畫函數圖形。」

　　「胡說八道，」教授仍然很堅持：「把牠弄出去！」

　　「你不信就自己試試看，」學生說：「出個函數叫牠畫吧！」

　　「好吧。我們瞧瞧牠怎麼畫 y = 3x + 1。」教授很好奇。

　　這隻狗還真能幹，一聽教授說完，馬上走到教室的一側，找好起點，對準了方向，然後飛快跑出一條筆直的線來。這條線的斜率

為3，y截距等於1，居然完全正確，教授跟全班學生都看得目瞪口呆。牠也非常乖巧，一個箭步跳到教授身上，用牠那濕答答的長長舌頭，從教授的左耳舔到右耳。

教授非常不高興，但是沒有辦法，只得掏出手帕擦臉，一面決定出個難一點的題目。他喊道：「$x^2/4 + y^2/9 = 1$。」不料牠馬上在地板上跑出一個橢圓，一個通過(–2, 0)、(0, –3)、(2, 0)及(0, 3)諸點的橢圓。然後牠再度跳到教授身上，不顧教授的抗拒，又把他的臉舔過一遍。

全班同學都驚奇得不得了。狗兒的主人一臉神氣，大聲問道：「還有誰不相信？還有誰仍然懷疑我的狗是天才？還有誰想試試看？」

教室裡一片寂靜，鴉雀無聲。不知過了多久，角落裡有位同學舉起手來，是一個從未在班上發過言的同學，他怯生生的說：「我想來試試看，不過我怕我的舌頭沒有狗狗的那麼長。」

第 *8* 章

極限：
你可少不了它們

8.1 基本觀念

　　你知道人們會用什麼態度說下面這句話：「你真的把我給惹毛了，我的忍耐已經到極限了！」然而你有沒有覺得奇怪，「已經到極限」到底是什麼意思？

　　在英文裡，limit（極限）這個字通常是指一條不能超越的邊界或界限，就像住在美國明尼蘇達州的人們，一天下來釣了不少魚，就會向人說：「I've caught my limit.」意思是說，他若是再多釣幾條魚，叫政府山林管理員查獲，他的釣具就會被當場沒收。釣客所能釣得的魚數量，規定必須低於或剛好等於限額，絕不能超過。

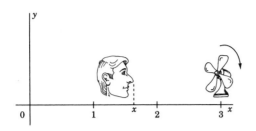

圖8.1　不能掉以輕心的危險極限。

在數學裡，當函數中的x漸漸趨近到某個定值時，該函數的值也會逐漸趨近一個值，這個值就是「極限」。這個說法可能叫你覺得霧煞煞，我們就用一個實際的例子來說明好了。

假設你讓鼻子向電風扇靠攏過去，爲了容易叙述，我們就說你的鼻尖位置在x，而電風扇的位置在3（或是分別離原點x英尺跟3英尺），如圖8.1所示。

我們想知道，當x非常接近3時，會發生什麼事——也就是說，當你的鼻子朝3移近，而且愈來愈靠近，但**絕對不要真正到達**3（你知道那後果該會有多麼嚴重）。

這個嘛，會發生的事只是，你會覺得當x離3愈來愈近，從電風扇吹到你臉上的風愈來愈強。所以，我們的興趣在於，當你的鼻子接近3時，你感受到的風的強度變化。〔我們要取$\lim_{x \to 3} b(x)$，其中的b(x)就是當你的鼻子在點x時，所感受到的風的強度。〕

假設當 x = 2.9，你感受到的風速是 6 mph（每小時6英里），那麼當鼻子向風扇移近，風速就會如下表那樣跟著增加：

鼻子的位置	2.9	2.99	2.999	2.9999	2.99999
風速(mph)	6	6.7	6.92	6.991	6.999993

從這些數據看來，似乎在鼻子逐漸靠近風扇時，風速就會逐漸趨近於 7 mph，因而我們可以寫成：

$$\lim_{x \to 3} b(x) = 7$$

身為鼻子受到威脅的當事人，你一定不願意去發現，x = 3 的時候會發生什麼事——因為你知道，那可不只是一陣風而已！

這就是極限在數學上的意義跟作用。我們想知道，當 x 趨近一個特殊的數 a，函數 f(x) 的值會發生什麼變化。

另一方面，我們也可以從一個函數的圖形，去判定該函數的極限。在次頁的圖 8.2，我們看到兩個函數圖形，你會發現當 x 從左右兩邊趨近於 3 時，兩函數的值都趨近於 7，也就是極限等於 7。雖然圖(b)所示的函數，在 x = 3 時的值等於 1，而不像圖(a)的函數值是等於 7，但我們不在乎，因為事實上，在 3 這一點的極限並非取決於函數在該點的值，而只取決於當 x 趨近 3 的那些函數值。

對於大多數的標準函數來說，取極限值的過程很平常，不會發生什麼有趣的插曲。比方說，一個像 $x^3 - 7x^4 + 3$ 的多項式，在 x 趨近於 a 時的極限就是 $a^3 - 7a^4 + 3$，直接用 a 代入 x 就可以了。

例題 $\lim_{x \to 1} x^2 - 7x^3 + 5 = 1^2 - 7(1^3) + 5 = -1$

我們只是用 1 代入 x，就得到答案了！真希望天下事都這麼簡單

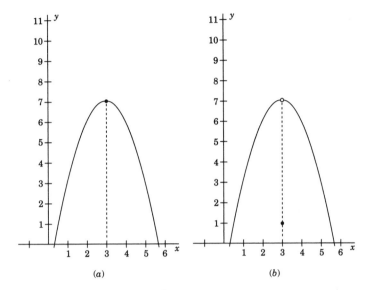

圖8.2　當 x → 3，極限等於7的兩個函數。

就好啦。但是，想當然耳，不是每個函數都那麼簡單，我們免不了
會碰到一些「問題函數」。就拿下面這個例子來說吧：

$$\lim_{x \to 2} \frac{1}{(x-2)^2}$$

　　當 x 漸漸靠近2時，$(x-2)^2$ 就會變得非常小，但是當1除一個非
常小的數時，得到的會是個非常大的數，真的是非常、非常大！我
們稱之為無限大，用符號 ∞ 表示。所以，當 x 趨近於2時，$1/(x-2)^2$
趨近於 ∞。不過由於 ∞ 不能算是個真正的數，所以我們說「該極限
並不存在」，就是沒有這個數，一個不存在的東西，無解。

　　所以我們可能得到非常大的極限（比任何實數都要大），大到極限根本不存在。除此之外，我們也會因為其他的原因，而得到不存在的極限，譬如下面這個例子：

$$\lim_{x \to 0} \sin\left(\frac{1}{x}\right)$$

　　當 x 變得愈來愈小，1/x 就愈變愈大，但是 sin(1/x) 永遠介於 –1 跟 1 之間，因為任何一個數的正弦值都不會超出 –1 到 1 的範圍。因此，當 1/x 愈來愈大，sin(1/x) 只是在 –1 跟 1 之間來回振盪，而且愈來愈快、愈來愈瘋狂；最重要的一個特點是，它不會漸漸靠近任何一個數，不會集中到任何一個數。所以，它沒有極限。

　　你可以把「有極限」這回事，想成是愛上了一個數。當海誓山盟的關鍵時刻來臨，咱們對這個數的感情就愈來愈深刻（趨近）。但是 sin(1/x) 顯然用情不專，它不願定情於一點，永遠在 –1 跟 1 之間擺盪不定，所以到最後，落個沒有極限的下場，無法與人共結連理。

刀法要旨　在其他的點，極限不但存在，並且很容易求得。

$$\lim_{x \to 2/\pi} \sin\left(\frac{1}{x}\right)$$

上面這個極限就等於

$$\sin\left(\frac{1}{2/\pi}\right) = \sin\left(\frac{\pi}{2}\right) = 1$$

所以說，sin(1/x) 的極限只有在 x → 0 時有問題，而當 x 趨近於其他值時則沒有問題。

8.2 取極限的一般程序

假如我們想要對某一函數 f(x) 取極限 $\lim_{x\to b} f(x)$，該如何著手呢？

第一步永遠是，把函數中的 x 用 b 取代。如果我們得到的是一個數（也就是沒有 0 當分母，或是沒有負數藏在根號內），而且該函數不是那種具有多重性格的怪異傢伙，在 b 點會改變定義，那麼，f(b) 這個數就是我們要找的極限。

對付多項式也是一樣，用 b 代入 x 即可。事實上，幾乎任何形式的函數，都可以用這個方法，只要你所用的那個點，不會讓你除以 0（譬如 $\lim_{x\to 0}\frac{1}{x}$）。這方法就叫做「直接代換法」。

例題　$\lim_{x\to 2} x^4 - 6x^3 + 2 = 2^4 - 6(2^3) + 2 = 16 - 48 + 2 = -30$

例題　$\lim_{x\to \pi/4} \sin x = \sin\left(\frac{\pi}{4}\right) = \frac{\sqrt{2}}{2}$

事實上，對於由多項式組合成的分式（稱為有理函數），直接代換法也通常管用。

例題　$\lim_{x\to 1} \frac{x^2 - 4x + 2}{3x^2 + 6} = \frac{1^2 - 4(1) + 2}{3(1)^2 + 6} = -\frac{1}{9}$

例題　$\lim_{x\to 3} \frac{x^2 - 9}{x - 7} = \frac{0}{-4} = 0$

這兒得記住的一點是，若是分子出現0，沒問題，但是分母一旦變成0，就必須小心了。

例題 $\lim\limits_{x \to 1} \dfrac{x-1}{x^2-1}$

這個例子很特別。如果我們照樣用1代入 x，得到的是0/0。千萬不要一看分子分母相同，就認為答案等於1。但也不要看到了0，就認為無解而放棄。

那該怎麼辦呢？原則上，每當出現0/0，我們應該再回到原來的函數，試著化簡這個分式，目的是希望能消去其中一個0。現在就來化簡一下：

$$\lim_{x \to 1} \frac{x-1}{x^2-1} = \lim_{x \to 1} \frac{x-1}{(x-1)(x+1)} = \lim_{x \to 1} \frac{1}{x+1} = \frac{1}{2}$$

哈，上下兩個0都不見啦！

$(x-1)/(x^2-1)$ 這個函數，在 x＝1 那一點甚至連個定義都沒有，但除此點之外，在其他部分看起來都跟 $1/(x+1)$ 沒有兩樣。但是一到 x＝1，突然出現了一個洞，如同生命中的一小塊真空，一個失去了意義的日子，一段無法彌補的留白。不過，這沒啥好慌張的，還記得我們在一開頭就提過，求極限時，重要的是「靠近」1的那些點的函數值，而不是落在1的實際函數值。

例題 $\lim\limits_{x \to 0} \dfrac{1+x^2}{x^2}$

如果我們把0代入 x，分子就變成了1，而分母變成0，亦即整

個函數成了1/0。這就表示，它的極限不存在。（在x趨近於0時，它的分母愈來愈小，而當我們拿一個愈來愈小的正數去除1的時候，結果就是一個愈來愈大的正數，也就是趨近於 +∞。）

8.3 單邊極限

在此之前，我們還沒有太注意x如何逐漸靠近一個值。就拿下面這例子來說吧：

$$\lim_{x \to 2} \frac{1}{x-2}$$

x可能比2大，而從2的右側逐漸欺近2；同樣的，它也可能比2小，而從2的左側逐漸向2靠攏。如果同時考慮兩個情況的話，x就有可能碰到嚴重的麻煩，還有，兩種情況下的極限都不存在。不過，我們仍舊有興趣瞧瞧兩邊究竟有何不同。

如果我們要讓x從右邊向2靠攏，就要寫成：

$$\lim_{x \to 2^+} \frac{1}{x-2}$$

這麼一來，x − 2就成了一個非常小的「正」數，而$\frac{1}{x-2}$就成了一個非常大的正數。所以，

$$\lim_{x \to 2^+} \frac{1}{x-2} = +\infty$$

而其極限不存在。

反之，如果我們只讓 x 從左邊向 2 趨近，就寫成：

$$\lim_{x \to 2^-} \frac{1}{x-2}$$

由於 x 小於 2，x－2 就成了一個非常小的「負」數，所以 $\frac{1}{x-2}$ 成為一個非常大的負數。因而，

$$\lim_{x \to 2^-} \frac{1}{x-2} = -\infty$$

其極限同樣不存在。

以上這個觀念，還可以用電影「侏羅紀公園」裡面兩隻恐龍合作獵食的情景來說明。點 a 可以是一個體型不大的哺乳動物，譬如一隻羊，現在，一隻霸王龍 x 靜悄悄的從那隻羊的左邊欺上來，這個情景可以寫成：

$$\lim_{x \to a^-} L(x)$$

式子中的 L(x) 就是午餐函數。在同一時間，另有一隻霸王龍 x 也靜悄悄的從羊的右邊欺上來，這就寫成：

$$\lim_{x \to a^+} L(x)$$

如果兩隻恐龍肯合作，分別從羊的兩側偷襲，那麼當牠們到達 a 時，就可以分享一頓豐盛的午餐，所以我們的結論是，$\lim_{x \to a} L(x)$ 存在，並且等於一頓羊排大餐，「零」分熟。

當我們說極限存在時，是指左右兩邊的極限都存在，而且相等。

P.S.　那隻羊死定啦！

8.4 怪異函數的極限

數學家為了讓生活更多采多姿，創造了許多複雜的函數，它們的定義不再只是單一的式子，而是好幾個。當你看到問題裡面有一些彎彎扭扭的大括弧，就表示你面對的是這種多性格函數了。我們先前討論過的絕對值函數就是其中之一，下面是另外一個例子：

$$f(x) = \begin{cases} 1/x & \text{若 } x < 3 \\ x^2 - 12 & \text{若 } x \geq 3 \end{cases}$$

這是啥玩意兒呀？我們知道，這個函數跟前面提過的所有函數都長得不一樣，但是別被它稀奇古怪的外表嚇到，其實內容沒差多少。我們照樣可以把它畫出來，得到的圖形跟次頁圖8.3類似。

讓我們瞧瞧這個函數的幾個極限。

1.　$\lim\limits_{x \to 4} f(x)$ 是多少？對 $x \geq 3$，$f(x) = x^2 - 12$，所以

$$\lim_{x \to 4} f(x) = \lim_{x \to 4}(x^2 - 12) = 4$$

2.　$\lim\limits_{x \to 2} f(x)$ 那是多少呢？對 $x < 3$，$f(x) = 1/x$，所以

$$\lim_{x \to 2} f(x) = \lim_{x \to 2}(1/x) = 1/2$$

3. $\lim_{x\to 3^+} f(x)$ 呢？對 $x \geq 3$，$f(x) = x^2 - 12$，因而 $\lim_{x\to 3^+} f(x) = -3$。

4. $\lim_{x\to 3^-} f(x)$ 又是多少？對 $x < 3$，$f(x) = 1/x$，所以 $\lim_{x\to 3^-} f(x) = 1/3$。

    當我們做這題的計算時，$f(x)$ 在 $x = 3$ 那一點的值究竟是多少，根本無關緊要。別管它，把它忘掉，因為它一點也不會影響到計算。

5. 那 $\lim_{x\to 3} f(x)$ 呢？這個嘛，我們從前面已經知道，對 $x < 3$，極限是 $1/3$，而對 $x \geq 3$，極限是 -3，也就是說，在3這點的左右極限不一致。這情形就好像坐在汽車後座的兩兄弟，一路上吵吵鬧鬧，意見不和，結果爸媽最後不得不把他們硬性分開，叫其中一個坐到前座去——或是像這題的結果，兼顧兩側的極限並不存在。

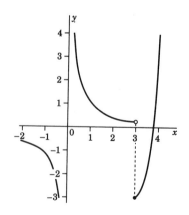

圖 8.3　個性會變的函數

奇怪但真實的部門　也許你對下面這個問題興趣缺缺，但是在極限的世界裡，它可是一個相當重要的事實：

$$\lim_{x \to 0} \frac{\sin x}{x} = 1$$

你說奇怪不奇怪，一個像 $\frac{\sin x}{x}$ 這樣難看的函數，居然會有像 1 那樣美麗的極限。從大處著眼來看，這樣的結果代表什麼意義呢？它的意義就是，當 x 靠近 0（也就是 x 非常非常小），sin x 的行為會變得跟 x 如出一轍，因而它們的比率 $\frac{\sin x}{x}$ 就變成 1 了。若要了解這一點，最好的辦法是同時畫出 y = x 跟 y = sin x 這兩個函數的圖形（如圖 8.4）。從圖中，我們很容易看出來，當 x 逐漸靠近 0 時，兩函數愈來愈相似。

換言之，對於值很小很小的 x，函數 y = x 可以做為 y = sin x 的一個很好的逼近，它們的比率 $\frac{\sin x}{x}$ 逐趨近於 1，也就不足為奇了。

重要技術備忘錄　上面這個例子，唯有在 x 以弧度為單位時才能成立，若以度為單位就不行了。在微積分裡，凡是看到函數 sin x，

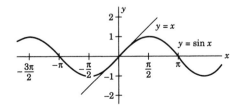

圖8.4　在 x = 0 的附近，y = x 跟 y = sin x 看起來很相像。

其中的 x 都是以弧度為單位。

難題挑戰　試解 $\lim\limits_{x \to 0} \dfrac{\sin 5x}{x}$。

怎麼辦呢？先在分式的分子分母同乘以5，得到

$$\lim\limits_{x \to 0} \dfrac{5\sin 5x}{5x}$$

當 x → 0，則5x → 0，反之亦然；所以上式也可寫成：

$$\lim\limits_{5x \to 0} \dfrac{5\sin 5x}{5x}$$

令 z = 5x，於是上式就可以寫成：

$$\lim\limits_{z \to 0} \dfrac{5\sin z}{z} = 5\lim\limits_{z \to 0} \dfrac{\sin z}{z} = 5(1) = 5$$

一個拿去問任課老師的好問題　當他（她）提到一些像「當 x 趨近於無限大時的極限」之類的字眼時，你可以問他（她）：你所說的「無限大」究竟是什麼？

錯誤的答案：最大的數，大到不能再大，差不多等於 10^{100}。

正確的答案：「x 的值要多大就有多大」的簡單說法。

另一個好問題　當任課老師說出一些像「這個極限沒有定義（undefined）」這類的字眼時，你可以問他（她）：「沒有定義」是什麼意思？

錯誤的答案：缺乏肌肉線條，肌肉鬆弛。

正確的答案：不等於任何一個數。

常犯的錯誤　當你試圖求 $\lim_{x \to a} f(x)$ 時，你拿 a 代入 x，有時就會得到一個看來像是 0/0 的分數，表示在這個時候，你還無法知道這個極限是多少或是不存在。但許多人一看到這個分數，就誤認為此題的極限不存在，這是不對的，更糟糕的錯誤則是，把上下兩個 0 互相抵消而得到 1。事實上，0/0 的出現是在告訴你，解題尚未成功，同學你仍須努力，而努力的重點通常是做一些化簡。不妨牢記 $\lim_{x \to 0} \dfrac{3x}{x}$ 這個範例，只要你一做化簡的動作，答案 3 即刻迸出來。一般說來，如果你得到的是像 3/0 之類的分數，你就知道這個極限是無窮大；要是你得到了 0/3，極限就是 0；若得到 0/0，則你啥都還不知道，解題的工作尚待完成。

8.5 計算機與極限

我們知道，所謂的極限，就是當 x 趨近於某一個 a 值時，函數 f(x) 所趨近的一個值，所以我們應該可以使用電腦或計算機，實際去求出當 x 趨近於 a 時，f(x) 所趨近的極限。

比方說，我們用計算機，把一連串靠近 0 的值（如 1、0.1、0.01……）代入 $\dfrac{\sin x}{x}$ 裡的 x，就能夠看出 $\lim_{x \to 0} \dfrac{\sin x}{x}$ 可能等於 1。我們從計算機跑出的數據就能看出，它們愈來愈靠近 1。

以下是一個簡短程式，可叫計算機做八次這種計算。

用來估算極限的程式範例

1.　　A = 0

2.　　$f(x) = \dfrac{\sin x}{x}$

3.　　FOR k = 1 TO 8

4.　　$A = f(10^{1-k})$

5.　　PRINT A

6.　　NEXT k

　　這個程式命令計算機把八個漸漸靠近0的 x 值,依序代入函數 $\dfrac{\sin x}{x}$,算出答案並一一列出。從列出的函數值,你會發現這些值很迅速的向1靠攏。事實上,你可以把這個程式稍做修改,用在所有的極限問題上。

第 *9* 章

連續性，
或你爲何不該在
不連續的坡道上滑雪

9.1 觀念

在日常生活中，當老美說：「Hey, let's get some continuity.」他們的意思就是「照規矩來，別出花樣」，也就是不希望狀況每四分鐘就出現巨大變化；總沒有人會希望公司一下子就把全部員工炒魷魚，換上一批新手，一般人都希望一切事務按正常現狀繼續進行，不至於中斷。這「不中斷」三個字，就是連續性的精義所在了。如次頁圖9.1所舉的例子，如果一個函數能夠不中斷的繼續下去，我們就說它是連續的。

在我們畫這些圖形時，筆尖用不著離開紙面，一筆到底、一氣

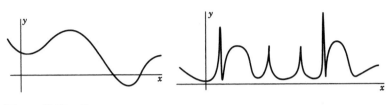

圖9.1　連續函數

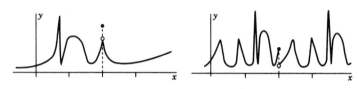

圖9.2　兩個不連續的函數：左邊的缺了一點，右邊的錯開了一步。

呵成。但是圖9.2裡面的兩個圖形就不一樣了，我們不能用一個連續動作把它們畫出來。這兩個圖形都是在 x = 2 的那一點出了問題，對此，我們就說該函數在 x = 2 是「不連續的」。

9.2 連續性的三個條件

現在我們要來正式定義「連續」了。看到這個定義包含了三個部分，你就知道它非同小可。

定義　f(x)在 x = a 是連續的，條件有三：

1.　f(a)是有定義的；
2.　$\lim\limits_{x \to a} f(x)$存在；

3.　$\lim\limits_{x \to a} f(x) = f(a)$。

讓我們瞧瞧上面這三點究竟講的是啥。

*　條件1的意思是，我們所考慮的這個點 x = a，的確落在此函數的定義域內。如果函數為 $f(x) = \sqrt{x}$，我們就不能問它在 x = –4 是否連續，因為這個函數在負數上根本沒有定義。

*　條件2的意思是說，當 x 從 a 的左右兩邊向 a 趨近時，該函數的值會向某個值趨近。

*　條件3說的是，f(x)所趨近的那個值，就等於它在 a 那一點的函數值。

現在讓我們看看，這些條件各自在什麼情況下不成立。從圖9.3所顯示的函數圖形，你會看到該函數在 x = 2 那一點上有定義，也有極限存在，但是函數值與極限偏偏不相同，所以條件3不成立，也就造成該函數在 x = 2 不連續：函數一路走來到達2時，暫時跳離了原來的路線，然後又跳回到老路上。

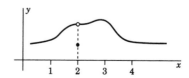

圖9.3　缺了一點的不連續函數。

　　在圖9.4，我們同樣看到函數在 x = 2 有定義；但極限不存在，因為從2的兩側求得的兩個極限並不相同，所以條件2不成立。

　　最後在圖9.5中，屋頂開了天窗，函數在 x = 2 不但沒有定義，極限也不存在。這次我們看到，圖形兩半的線條一直往上延伸，到了頁面之外還不會相交。對這個函數，三個條件統統不成立。

　　如果函數圖形上完全沒有缺口，那麼該函數對所有的x，就都是連續的，也就是在各處都是連續的。那麼，什麼樣的函數會具有這種不危及滑雪者的性質呢？

　　像 x⁵ 或 2x³ + 5x² – 3x + 8 這樣的多項式，就是處處連續，sin x 跟 cos x 也是一樣。絕對值函數也處處連續（即使有急拐彎的地方），因

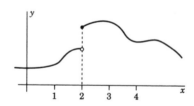

圖9.4　錯開了一步的不連續函數。

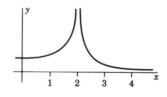

圖9.5　具有一個無窮大極限值的不連續函數。

爲畫函數圖形的時候，你用不著把筆尖抬離紙面。至於多項式分式 p(x)/q(x)（其中的 p 跟 q 都是多項式），在 q(x) 不等於 0 的所有點 x，也就是在有函數值的所有點，都是連續的（我們有時叫這種函數爲有理函數）。譬如 $(x^2 - 1)/(x + 3)$，除了 $x = -3$ 之外，在其他各處都是連續的。

此外，tan x、sec x 及 csc x 這三種函數，在它們有定義的部分是處處連續，但並不是在所有的 x 上都如此。所以，tan x $\left(= \dfrac{\sin x}{\cos x} \right)$ 在 cos x = 0 以外的點都是連續的，而這些不連續的點就是 $x = \pi/2$、$x = 3\pi/2$、$5\pi/2$……。

簡言之，你每天面對的所有標準函數，在它們有定義的地方就是處處連續的。所以，簡單明瞭，「某某函數在何處是連續的？」這個問題的答案，幾乎永遠是「凡是某某函數有定義的地方」。

但是，這條規則會有例外，那就是當我們碰到多重性格函數的時候。這種函數在不同的 x 值上，有不同的定義，因此我們得逐一檢查每一個分界點。

例題　試找出下面這個函數的不連續點。

$$f(x) = \begin{cases} 0 & \text{如果 } x \leq -1 \\ x + 1 & \text{如果 } -1 < x \leq 0 \\ x^2 & \text{如果 } 0 < x < 1 \\ 1 & \text{如果 } x = 1 \\ \dfrac{1}{2 - x} & \text{如果 } 1 < x \end{cases}$$

由於 1/(2 − x) 有一個明顯的缺口，因此上面這個函數除了 x = 2

以外，在其餘各點都有定義。用來定義這整個函數的各個函數，也就是0、x + 1、x²以及1/(2 − x)，在各自有定義的地方就是處處連續的，所以對f(x)的連續性，我們需要檢查的就只有位於這些函數分界的幾個點，即x = −1、x = 0跟x = 1。

首先讓我們瞧瞧x = −1：

$$\lim_{x \to -1^-} f(x) = \lim_{x \to -1^-} 0 = 0$$

而

$$\lim_{x \to -1^+} f(x) = \lim_{x \to -1^+} (x + 1) = -1 + 1 = 0$$

左極限跟右極限相等，所以極限存在。另外，由於在x = −1的函數值等於0，所以

$$\lim_{x \to -1} f(x) = 0 = f(-1)$$

因此這個函數在x = −1處，滿足了連續的三個條件，故f(x)在此處是連續的。

其次來看x = 0：

$$\lim_{x \to 0^-} f(x) = \lim_{x \to 0^-} (x + 1) = 1$$

而

$$\lim_{x \to 0^+} f(x) = \lim_{x \to 0^+} x^2 = 0$$

在 x = 0 這個點，左極限與右極限均存在，但顯然並不相等，所以極限不存在。所以我們說，f(x)在 x = 0 不連續。

最後看看 x = 1 的情形：

$$\lim_{x \to 1^-} f(x) = \lim_{x \to 1^-} x^2 = 1$$

而

$$\lim_{x \to 1^+} f(x) = \lim_{x \to 1^+} \frac{1}{2-x} = 1$$

左右極限相等，表示這一點上的極限存在。又由於函數值在 x = 1 等於 1，即：

$$\lim_{x \to 1} f(x) = 1 = f(1)$$

所有三個條件都成立，因而我們說該函數在 x = 1 連續。

所以，最後的結論就是，此函數除了 x = 0 跟 x = 2 兩點之外，在其他任何點都是連續的。次頁圖9.6就是此函數的圖形。

例題 試判定函數 $f(x) = \frac{|x-2|}{x-2}$ 在何處是連續的。

當我們面對這個函數時，注意到的第一件事情就是，在 x = 2 的時候，分母等於0。好耶！光這一個事實就足以告訴我們，這個函數在 x = 2 不連續，因為在這一點上，此函數沒有定義！也就是說 x = 2 壓根兒不在此函數的定義域內。那麼其他的點呢？

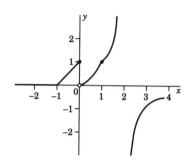

圖9.6 一個不連續函數；函數中有一個斷層跟一個缺口，函數在這個缺口變成正負無窮大。

從外表看起來，此函數雖然不像是分段函數，但事實上它只是做了偽裝而已。讓我們用前面提過的絕對值函數定義，把這個函數重寫成下面這個比較明顯的形式：

$$\frac{|\,x-2\,|}{x-2} = \begin{cases} \dfrac{x-2}{x-2} & \text{如果 } x-2>0 \\[2mm] \dfrac{-(x-2)}{x-2} & \text{如果 } x-2<0 \end{cases}$$

你可能會注意到，當 $x-2>0$ 跟 $x-2<0$ 時，函數都有定義，唯有 $x-2=0$ 那一點例外。換言之，$x=2$ 這一點不在定義域內，因而函數在該點沒有定義。

我們可以把上式化簡成：

$$\frac{|\,x-2\,|}{x-2} = \begin{cases} 1 & \text{如果 } x-2>0 \\ -1 & \text{如果 } x-2<0 \end{cases}$$

$x-2>0$ 的另一個寫法是 $x>2$。同理，$x-2<0$ 可以寫成 $x<2$。也

就是說，我們這個看起來滿唬人的函數其實就是：

$$\frac{|x-2|}{x-2} = \begin{cases} 1 & \text{如果 } x > 2 \\ -1 & \text{如果 } x < 2 \end{cases}$$

我們知道，1跟-1是連續函數，所以總括來說，函數 $\frac{|x-2|}{x-2}$ 除了在 $x = 2$ 不連續外，在其他點都是連續的。還有，由於在 $x = 2$ 左右兩極限並不相同，所以 $\lim\limits_{x \to 2} \frac{|x-2|}{x-2}$ 也不存在。

第 *10* 章

何謂導數？
窮則變，變則通

　　好了，現在我們終於講到了微積分觀念的精髓，這可是進入微積分初步裡面最重要的一個單元。何謂導數？為何大夥把它看得那麼重要？又為什麼幾乎每一個修過微積分的人，都對這個簡單的觀念聞之色變？

　　說穿了，導數這玩意兒真的相當簡單，一言以蔽之，就是「斜率」。

例題（抓羊）　　假設你即將背著一隻打了麻醉藥的羊，走上山坡。我們先把山腳下位置的座標設定為(0, 0)，即原點，當你從山腳走上山坡的時候，你的 x 座標跟 y 座標都同時隨著你的移動而改變，事實

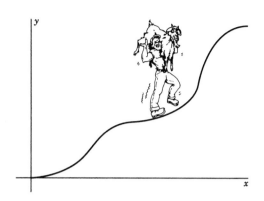

圖 10.1　以函數 h(x) 表示山坡的高度。

上都是在增加。讓我們取 h(x) 為在 x 點上的山坡高度，所以函數 h(x) 的圖形，也就是滿足方程式 y = h(x) 的點所連成的曲線，就是這個山坡的輪廓，如圖 10.1 所示。

　　由於你是背著一隻羊爬坡，所以你最關切的是你走過的任意一點的陡峭程度，因為愈是陡峭，坡就愈難爬。函數 h(x) 的導數，正是這個山坡在 x 點的陡峭程度，我們以 h'(x) 來表示。

　　譬如說，我們假設 h'(10) = 1/6，以此表示你在 x 方向上走了 10 英尺之後，到達的新位置的陡峭程度等於 1/6。而所謂的陡峭程度 1/6，是指你在水平方向每移動 1 英尺（差不多一小步的距離），你必能垂直向上移動 2 英寸，這樣的坡度還不算陡。

　　不過，如果我們另外假設 h'(20) = 5，那表示當你在 x 方向上走了 20 英尺時，會發現你腳下的地點非常陡峭。有多陡呢？相當於每向水平方向橫移 1 英尺，你就能上升 5 英尺！這時你恐怕需要一套登山裝備，另外還需要替那頭羊準備一個絞盤。

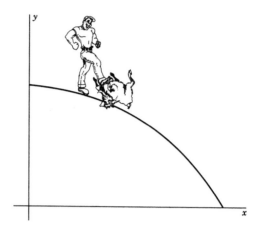

圖 10.2 　下坡，羊可要倒楣了。

　　如果再假設 h′(30) = −2 呢？那就是說當 x = 30 時，你腳底下的地面是每橫移 1 英尺，就會在垂直方向移動 −2 英尺。換句話說，你正在下坡，這時你只要讓那頭羊滾下山坡就得啦（如圖 10.2 所示）。

　　當然，導數的功用不限於用來把麻醉過的羊扛上山坡，它們還可以應用在更為一般的狀況下，比如麻醉過的綿羊啦，麻醉過的土撥鼠啦，甚至麻醉過的小型美洲水牛等等。除了對上述用來量測一隻羊的海拔高度的函數外，導數更可以用在許多其他的函數上。

例題（貓頭鷹）　假設你的工作是在推銷塑膠製的貓頭鷹，另外有一群塑膠草坪裝飾品專家（一群 MBA），幫你決定出一個利潤函數，可以從每隻貓頭鷹的售價算出你將得到的利潤。你想從這個函數，定出一個最合適的單價，目的是要使你的利潤最大。

　　換言之，你所要知道的就是，這個利潤函數會在何處到達最高

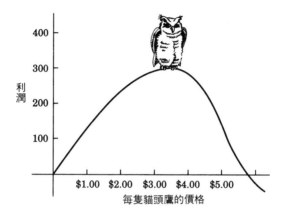

圖10.3 貓頭鷹利潤函數

點。如果把函數圖形畫出來，你會看到這個最高點就在此函數旣不增加也不遞減的一瞬間（見圖10.3）。就在一刹那，函數的變化率等於0。若用讓人肅然起敬的數學術語來說，就是「在最高點的導數爲0」。夠簡單吧！知道了這個重要的事實之後，我們就可以用它來找出最高點，定出這些耐磨損貓頭鷹的最佳售價。

例題（賽車） 在第三個例子中，我們假設你正在參加一場高速賽車。你坐在你那部超高馬力、燒汽油跟喝水似的賽車駕駛座裡面，在起跑線蓄勢待發，引擎一陣陣不斷怒吼。比賽一開始，函數f(t)就會告訴你，你的車子在t時刻，離開起跑線的距離，而t = 0就代表鳴槍開賽的一霎時。

在這種比賽場合裡，你最關心的當然是你的車速——無怪乎每部汽車都少不了車速表。然而，速率不就是位置的變化率嗎？就好

像「每小時110英里」，指的就是速率，是在某一段固定單位時間內的移動距離。如果f(t)是個位置函數，那麼導數f'(t)就是該位置函數的變化率，正好就是速率。在你的賽車過程當中，車速一直在變。開始的一剎那，車子還停在起跑線後面，速率是每小時0英里；然後車子衝了出去，速率也愈來愈快，一直加速到車子的最高速率，每小時130英里；而當車子衝過終點線，車尾射出減速傘，車子就又減速到停止下來。

所以，在整個賽車過程中，你的導數從0上升到130，然後再下降回到0。車速表的用途只是在隨時告訴你，你在任何一個時間的位置的導數為何。因此，車速表也可以稱為「導數顯示計」，只是念起來稍微拗口了一些，而且也會占滿汽車零件目錄裡的篇幅。

假如在比賽開始之前，你由於緊張過度，不知不覺把車子誤放在倒檔上，結果會怎樣呢？哈！當紅燈變綠，比賽開始，你的左腳鬆開離合器，右腳把油門踩到底，然後你就會發現車子向後噴射了回去。當然，如果你只是一個勁的盯著眼前的車速表，你還不會察覺是怎麼回事呢，因為那個蠢玩意兒向來不顯示負的數值。你的車速實際上是每小時 –130英里，方向與你預期的恰恰相反！如果你發現車子是在後退，那是因為你從後照鏡裡看到你的技師們的驚恐臉龐，正以驚人的速率在變大。這時你可以說，你的位置函數的導數為 –130。

快速複習　到目前為止，本章的重點是要你明白一個觀念，那就是：函數 $y = f(x)$ 的導數 $f'(x)$，度量了該函數的變化率。如果導數是個很大的正值，表示該函數正在疾速遞增；如果導數是個相當小的正值，表示函數也在遞增，只是遞增得很緩慢。若導數是負值，

表示函數在遞減；如果導數等於0，表示函數至少在此瞬間是既不遞增、也不遞減，維持水平——它正在猶豫不決，哪兒都不去。

好啦，導數就是這麼回事兒。但是當然，我們還漏掉了一個非常基本的問題，那就是如何算出導數。譬如說，你要如何測量出山坡有多陡呢？其實，陡峭程度跟斜率意義相同，所以這個問題就是想要把山坡上每一點的斜率都算出來。但正如圖10.1跟圖10.2所示，我們是用一條曲線來代表山坡，而且我們只知道如何測量直線的斜率，對於曲線還沒法度。

所以，我們勢必得先畫一條直線，用以代表曲線（山坡）在某一點上的斜率，而這條直線的斜率就是導數了。

如圖10.4所示，在點(x, h(x))跟山坡相接觸、而且斜率就等於山坡在該點的陡峭程度的直線，稱為「切線」。下一步我們要討論，如何實際計算出切線的斜率。

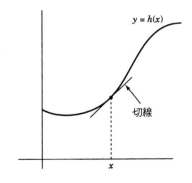

圖10.4　在點(x, h(x))上的切線斜率，就等於該點的陡峭程度。

第 *11* 章

導數的極限定義：求導數的麻煩方法

11.1 定義導數

　　現在我們要進一步解釋導數的正式定義，而且不再使用前面那種模糊的說法，像是「導數是用來度量函數的變化有多快」，或者是有關斜率的各種類比。沒錯！我們現在要很明確，絕對明確。

　　開頭第一個問題是，我們究竟要用導數來度量什麼？這個嘛，我們的確是要用它來度量函數的變化到底有多快。但這到底是什麼意思呀？我們來看圖 11.1 裡的兩個函數，$y = g(x)$ 跟 $y = f(x)$ 的圖形。

　　請注意，x 軸上標示著一點 x，而且 $g(x)$ 的圖形隨著 x 而增加的程度，遠較 $f(x)$ 的圖形大得多。如果這兩條曲線都代表長時間下來的

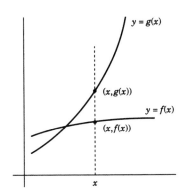

圖11.1　在給定的點上，兩函數圖形究竟有多傾斜呢？

利潤函數，那麼我們鐵定非常喜愛 g(x)，原因是 g(x)陡峭得多，意謂著利潤會增加得相當快。

　　當然，光這樣比較，仍然不夠明確，我們還想知道自己的利潤究竟增加得多快，如此才能在家人團聚在一塊吃年夜飯時，提出明確的數字，讓眾親戚刮目相看。換句話說，我們想知道如何精確度量出，函數圖形在 x 正上方的那一點有多麼陡峭。

　　山坡的陡峭程度也可稱作坡度（斜率），所以我們真正要度量的，就是函數圖形在 x 正上方那一點的斜率。

　　但是，曲線的斜率到底是指什麼呢？我們只知道怎麼去解釋直線的斜率。所以，我們得先取一條通過點 (x, g(x)) 的直線，使它的傾斜程度跟該曲線相同，然後度量出這條直線的斜率──我們將此當作該曲線的斜率。

　　我們要找的直線，會跟函數曲線在點 (x, g(x)) 附近依稀近似，我們稱這條直線為曲線的切線（見次頁圖11.2）。

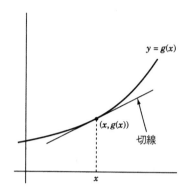

圖11.2　切線之斜率，與函數圖形在點(x, g(x))的斜率相同。

　　所以請記住，函數 y = g(x)在 x 的導數，正好就等於函數曲線在點(x, g(x))處之切線的斜率。

　　當然，有個不錯的問題是：「通過點(x, g(x))的直線可能有無限多條，你憑什麼知道那一條是切線？」我們先瞧瞧，在該點與曲線相交的任何一條直線，是否都是切線呢？顯然不是。圖11.3就顯示了這樣一條直線，但一看就知道它絕不是切線。

　　看來我們在定義切線的方法上，也不能打馬虎眼，必須非常小心從事。那麼切線到底是什麼樣的直線呢？我們所希望的切線是，一條剛好在某一點上輕碰到函數曲線、而且跟曲線的走向一致。

　　讓我們試試下面這個主意！如圖11.4所示，在 x 點右邊不遠處（距離爲 h）另取一點，然後在此點的正上方，找到了曲線上的另一點，因此這點的座標是(x + h, g(x + h))。（請牢牢記住，函數圖形上任何一點的 y 座標，都一定等於該點的 x 座標代入函數之後得到的函數值，否則這個點便無法落在函數圖形上了。）

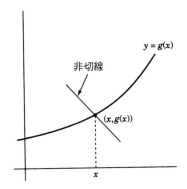

圖11.3　跟曲線相交於一點的直線，不見得是切線。

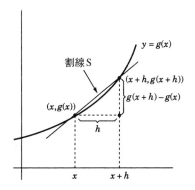

圖11.4　通過點(x, g(x))、斜率與切線斜率近似的割線。

　　現在，我們畫一條直線，讓它通過這個點及原先的(x, g(x))。這條直線並不是我們要找的切線，不過它已經相當接近我們所要的切線了。這條直線，我們稱之為「割線」，以S來代表。

　　這條割線的斜率是多少呢？我們來計算一下（我們把它稱作斜

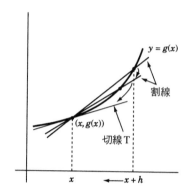

圖11.5　逐漸接近切線的割線。

率(S)好了）：

$$斜率(S) = \frac{y_1 - y_0}{x_1 - x_0} = \frac{g(x + h) - g(x)}{(x + h) - x} = \frac{g(x + h) - g(x)}{h}$$

　　請注意，這時如果我們去移動第二個點，讓它沿著g(x)的曲線逐漸靠近第一個點（亦即讓h縮小，最後變成0），割線S就會逐步轉動，漸漸靠近切線T，往切線T「趨近」（見圖11.5）。

　　從圖11.5可以看出，當第二個點沿著曲線逐漸向第一點靠攏時，割線的斜率，即斜率(S)，也會朝向切線之斜率，即斜率(T)，逐漸邁進，而斜率(T)就是我們要找的目標。我們也可以把這段敘述簡單寫成：當h→0，斜率(S) → 斜率(T)。若用式子表示，就是：

$$斜率(T) = \lim_{h \to 0} \frac{g(x + h) - g(x)}{h}$$

　　由於我們寄望在 x 處的切線斜率，就跟函數在該點的導數是同一件東西，所以我們得做以下的宣示：

定義　函數 g(x) 在 x 處的導數，寫成 g'(x)，而且定義爲

$$g'(x) = \lim_{h \to 0} \frac{g(x + h) - g(x)}{h}$$

　　這個式子看起來很眼熟，是不是？不錯，它就是一個極限，跟我們在第 8 章討論過的極限沒兩樣。它居然可以應用到這兒，用來計算活生生的導數！

例題　求 f(x) = x² 的導數。

　　依照上面的定義，我們要找的其實就是

$$f'(x) = \lim_{h \to 0} \frac{f(x + h) - f(x)}{h}$$

　　我們從題目得知 f(x) = x²，那麼用 x + h 分別代入等號兩邊的 x，就可以得到 f(x + h) = (x + h)²。於是，

$$f'(x) = \lim_{h \to 0} \frac{(x + h)^2 - x^2}{h}$$

$$= \lim_{h \to 0} \frac{x^2 + 2xh + h^2 - x^2}{h}$$

$$= \lim_{h \to 0} \frac{2xh + h^2}{h}$$

$$= \lim_{h \to 0} \frac{h\,(2x + h)}{h}$$

$$= \lim_{h \to 0} (2x + h) = 2x$$

（因為2x項中沒有h，以致於在我們取極限，讓h變成0的時候，剩下了2x。）

　　所以我們說：如果

$$f(x) = x^2$$

那麼

$$f'(x) = 2x$$

　　若以文字表示，這就是說，只要你任選一個x值，我們馬上就能告訴你f(x) = x²這個函數曲線在x處的切線斜率。比方你說x = 1，我們馬上會回應說：

$$f'(1) = 2(1) = 2$$

　　現在瞧瞧圖11.6，並且估算一下在x = 1處的切線斜率。如何？它的斜率果然差不多等於2。

　　若你接著說x = –1，我們會說：

$$f'(-1) = 2(-1) = -2$$

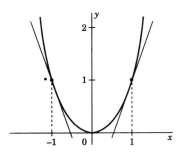

圖 11.6　函數 $y = x^2$ 分別在 $x = 1$ 跟 $x = -1$ 的切線。

我們再瞧瞧圖 11.6，果然不錯，在 $x = -1$ 處的切線，其斜率無疑是負值，而且差不多為 -2。

最後你說 $x = 0$，我們馬上說

$$f'(0) = 2(0) = 0$$

意思是該曲線在 $x = 0$ 處的切線，斜率應該等於 0，也就是該切線是水平的。瞧，果不其然！多神奇呀，不是嗎？

下面讓我們再做一個著名的例題。

例題　如果 $f(x) = \sqrt{x}$，試求 $f'(x)$。

依樣畫葫蘆，我們得到

$$f'(x) = \lim_{h \to 0} \frac{\sqrt{x+h} - \sqrt{x}}{h}$$

$$= \lim_{h \to 0} \left(\frac{\sqrt{x+h} - \sqrt{x}}{h} \right) \left(\frac{\sqrt{x+h} + \sqrt{x}}{\sqrt{x+h} + \sqrt{x}} \right)$$

$$= \lim_{h \to 0} \frac{(x+h) - x}{h(\sqrt{x+h} + \sqrt{x})}$$

$$= \lim_{h \to 0} \frac{h}{h(\sqrt{x+h} + \sqrt{x})}$$

$$= \lim_{h \to 0} \frac{1}{\sqrt{x+h} + \sqrt{x}} = \frac{1}{2\sqrt{x}}$$

上面的演算重點在第二步,我們使用了一個小小的代數技巧,即把它乘上一個分數 $\frac{\sqrt{x+h} + \sqrt{x}}{\sqrt{x+h} + \sqrt{x}}$。一旦用了這個技巧,下面可就暢行無阻了;但若是悟不出這一步,那可就走進了死胡同囉!

警告:有的時候,$\lim_{h \to 0} \frac{g(x+h) - g(x)}{h}$ 不存在。在這種情況下,我們說導數 $g'(x)$ 沒有定義。

11.2 其他形式的導數極限定義

正如你在跟撞你車的人理論時說的話:「喂!你的保險桿不知為什麼撞到了我的保險桿,我認為你應該負責我的財產損失!」這可以用各種不同的方式說出來,導數的基本定義也不例外,但是各個說法骨子裡其實都一樣,不妨找一個你覺得最順眼的使用就是了。譬如一個相當常見的定義,是以 Δx 取代我們前面所用的 h:

$$f'(x) = \lim_{\Delta x \to 0} \frac{f(x + \Delta x) - f(x)}{\Delta x}$$

你可能對希臘文字母不是很熟悉，因而不知道那個在 x 前面的三角形，是一個大寫希臘字母，讀作 delta，相當於英文字母的 D。據說牛頓年輕的時候，由於先天有某種障礙缺陷，無法精通某種祕密的握手方式，結果不幸因此被一個名稱中帶 Δ 的兄弟會，拒絕了他的入會申請。當時他當然非常失望跟不爽，叫人意想不到的是，他後來竟然幽默的用了這個讓他畢生最傷心的字母，做為他一生最偉大成就（微積分）的基石。他用了 Δx 這個符號，代表 x 的微小變化。

我們還可以讓原來的定義改動幅度更大。譬如說，第一步，用 a 取代 x（有何不可？）。於是我們就得到：

$$f'(a) = \lim_{h \to 0} \frac{f(a + h) - f(a)}{h}$$

現在，我們再用一個新的 x，並假設 x = a + h，這樣一來，當 h 向 0 趨近的時候，就相當於 x 向 a 趨近。所以我們可把上式改寫為：

$$f'(a) = \lim_{x \to a} \frac{f(x) - f(a)}{x - a}$$

從外表看起來，就跟原來的定義相當不一樣了，不是嗎？但是它們說的其實是同一回事，只是經過了一道回收再利用的程序，就像把喝完的塑膠瓶做成地毯製材一樣。

那麼，什麼時候你才會用到本章所說的極限定義，去計算導數

呢？大概是一百萬年裡會用到一次，而在這一節，就是那唯一的一次！在下一章，我們將建立一套直截了當的求導數法則，除了極少數極不尋常的例子外，這套法則幾乎可以用在所有的函數上，而且比起直接應用導數的極限定義，要簡單得太多太多啦。

對函數 f(x) 的導數，寫法也不只一種，譬如：

$$f'(x)$$

或

$$\frac{df}{dx}$$

或是那些性情乖僻的物理學家所喜愛的：

$$\dot{f}$$

又因為我們經常令 y = f(x)，所以我們還有另外三個寫導數的選擇，那就是：

$$y'$$

或

$$\frac{dy}{dx}$$

或是

$$\dot{y}$$

第 *12* 章

求導數的簡單方法

　　我們在這一章要討論的，是個極重要的核心議題。等你將來老了，退休了，住進了養老院，只能用吸管吸你的晚餐的時候，本章談到的這些內容，大概會是你對微積分還能依稀記得的部分了。幸運的是，求導數的各種基本技巧不難掌握。

12.1 微分法之基本法則

　　我們能說什麼呢？不就是要記得滾瓜爛熟、倒背如流。這些法則對於微積分之重要性，猶如你在開車時，得隨時記住「不能闖紅燈」跟「不能輾過行人」等等法則。

12.2 冪法則

　　這是微積分基本法則中最讓人印象深刻的法則，不信你可以到馬路上，隨便攔下一個人，問問他（她）：「你對微積分還記得些什麼？」你問過就知道，大多數念過微積分的人，經過了一些歲月之後能夠想起的，可能就是這個冪法則了。除此之外，它的英文名稱聽起來也非常強而有力：power rule（直譯成「強力統治」）。

$$\frac{d}{dx}(x^n) = nx^{n-1}$$

　　名稱固然不同凡響，但是它究竟代表什麼意思呢？式子裡的n可以是任何數字。所以如果我們讓n等於3，就得到：

$$\frac{d}{dx}(x^3) = 3x^2$$

如果讓n等於5，就得到：

$$\frac{d}{dx}(x^5) = 5x^4$$

如果讓n等於1，就得到：

$$\frac{d}{dx}(x^1) = 1x^0 = 1$$

這是個特例，值得特別記牢，所以讓我們重複一次：$\frac{d}{dx}(x) = 1$。

　　以上幾個例子裡的 n 都是正數，其實負數也是一樣。比方說讓 n 等於 −2，我們就得到：

$$\frac{d}{dx}(x^{-2}) = -2x^{-3}$$

如此一來，求 1/x 的導數就不是問題啦：

$$\frac{d}{dx}\left(\frac{1}{x}\right) = \frac{d}{dx}(x^{-1}) = -1x^{-2} = \frac{-1}{x^2}$$

　　事實上，n 不但可以是正數與負數，還可以是分數呢！所以，求 $\sqrt{x}$ 的導數也不是問題，因為

$$\frac{d}{dx}(\sqrt{x}) = \frac{d}{dx}(x^{1/2}) = \frac{1}{2}x^{-1/2}$$

　　除此之外，還有一件事實是一般任課老師在微積分入門課程裡很少提起的，那就是：n 不必是個有理數——但我們現在就透露給你，讓你比你的同學早些有個心理準備。因此，n 也可以是 π 跟 $\sqrt{2}$ 之類的無理數。比如說：

$$\frac{d}{dx}(x^{\pi}) = \pi x^{\pi-1}$$

　　我們知道，大家一見到指數 $\pi-1$，心裡就會產生一股衝動，想把它化簡一下。其實最好別去動它，維持原樣就好，因為愈動它反而愈囉唆。只要你在心裡把 $\pi-1$ 想成一個大約等於 2.1416 的數，那就得啦。

一個漂亮的問題　只用歸納法跟積法則，是否有可能證明n爲整數的冪法則呢？

哇塞！這問題問得太酷了，因爲大概除了講台上的老師之外，課堂裡大概沒有人能聽得懂你在問什麼。當然，像這樣出鋒頭少不了要擔點風險。一方面，你這個問題一出口，聽起來非常有智慧，會讓你在教授心目中的印象瞬間竄升，遠遠超過班上這些泛泛之輩的同學。如果你的教授生性老實，中了你的激將法，即刻會撇開一切，開始用歸納法跟積法則，示範證明冪法則，那麼你在衆人心目中就建立了地位，至少在這個學期結束之前都會屹立不搖。不過話說回來，如果你的教授不吃你這一套，反問你說：「依你看呢？」而你只能支支吾吾的回答：「嗯，啊，唔……我不知道……只是隨便問問……」這下子就糗大啦。

12.3 積法則

好啦，言歸正傳。這個「積法則」可是一個非常關鍵的法則，微積分若是少了它，便只能跟一堆極其簡單無聊的函數打混，肯定永遠混不出什麼名堂來。譬如說，假設我們有個函數 h，而它又是另外兩個函數 f 跟 g 的乘積，也就是 h(x) = f(x)g(x)。現在，我們想取 h 的導數，怎麼辦呢？第一個閃過你腦海的念頭可能是 $\frac{d}{dx}(fg) = f'g'$，但不幸的是，它是錯的！

我們怎會知道它是錯的呢？哈，從小學、中學而大學，朝夕面對數學好歹也十幾年了，總該有一點小見識吧！此外，我們還可以

用一個非常輕易的方法，證明它是錯的：假設兩個函數分別

為 f(x) = x 及 g(x) = x，如果像上面所說，我們會得到 $\frac{d}{dx}$ (x)(x) =

(1)(1) = 1，這個結果一看就知道不對！因為我們剛才就說過：

$$\frac{d}{dx} (x)(x) = \frac{d}{dx} (x^2) = 2x$$

答案不是1。

　　那麼正確的答案是什麼？請仔細看下面這個式子，它就是《微積分之屠龍寶刀》特別鄭重推薦的、如假包換的「積法則」：

$$\frac{d}{dx} (fg) = f'g + fg'$$

　　猛然一看這個式子，你可能覺得腦袋裡有些一團亂，怎麼會是東一撇又西一撇，中間還不知道從哪兒跑出來一個加號！但是事實上，如果我們把它用文字說出來，就極為簡單又好記了：「兩個函數乘積的導數，等於第一個函數的導數乘上第二個函數，加上第二個函數的導數乘上第一個函數。」

　　我們馬上就用這個現成的例子來磨磨刀鋒。假設 f(x) = g(x) = x，依照積法則，就得到：

$$\frac{d}{dx} (x)(x) = (x)'(x) \ (x)(x)' = (1)(x) + (x)(1) = 2x$$

這不就等於前面冪法則所說的函數 x^2 的導數？所以至少在這個例子裡面，冪法則與積法則是相互一致的。數學，是講求一致性的。

12.4 商法則

　　現在,我們還想求像 f/g 這樣的分式的導數,其中的 f 跟 g 是兩個函數。這條法則不太容易記住,不過你很幸運,我們待會兒要教你唱首歌,一邊唱一邊記!商法則的公式如下:

$$\frac{d}{dx}\left(\frac{f}{g}\right) = \frac{f'g - fg'}{g^2}$$

　　如何記住本公式(得謝謝「白雪公主」這部膾炙人口的卡通電影,裡面的七位小矮人一出場就唱了一首「嗨呵歌」)我們把公式中的 f 以「嗨」取代,g 以「呵」取代,而以 D 代表「某某的導數」,公式就變成了:

$$D\frac{嗨}{呵} = \frac{呵\,D(嗨) - 嗨\,D(呵)}{呵^2}$$

　　如果用唸的,就是:「呵 D 嗨,減去嗨 D 呵,除以呵呵。」夠簡單了吧?如果連七矮人裡的瞌睡蟲跟噴嚏哥,都能嗨呵自如,你還有什麼問題?

　　馬上舉個例子:

$$\frac{d}{dx}\left(\frac{x}{x^2 + 1}\right) = \frac{(x^2 + 1)(1) - x(2x)}{(x^2 + 1)^2} = \frac{1 - x^2}{(x^2 + 1)^2}$$

　　常見的錯誤　許多人記不住分子中的兩項到底是哪個減哪個,是呵 D 嗨在前面呢(對,在前面)?還是嗨 D 呵在前面(錯的)?因而搞得答案差了一個負號。

12.5 三角函數的導數

當你年紀還小時,有兩件事情你必須記得,一是你的名字,一是家裡的住址。如果你把這兩件事搞混了,後果可能非常嚴重,搞不好永遠回不了家。現在你已經不再是小孩子了,不過在這一節,你還是有兩件事情必須記得,不得搞混,那就是:

$$\frac{d}{dx}(\sin x) = \cos x$$

$$\frac{d}{dx}(\cos x) = -\sin x$$

因為所有其他的三角函數的導數,都可從這兩個基本公式導出來。

對於這兩個公式,你可能不容易記住哪一個的前面有負號。我們幾位作者的建議是:記住「正弦函數微分之後還是正的」意思就是,當你把正弦函數微分時,不要變號。我猜你也會想這麼記:「餘弦的微分要變號」,不過這沒有正弦那麼好記。

如果要用導數的極限定義,來證明正弦跟餘弦函數的導數公式,可能需要用點小技巧。是什麼小技巧呢?就是我們在前面特別拿出來討論的一個事實:

$$\lim_{x \to 0} \frac{\sin x}{x} = 1$$

你可能得自行斟酌一下,看看任課老師是否指望你能夠用這個極限式子,去導出三角函數的導數來。

無論如何,只要你知道了這兩個三角函數的導數,接下來就水

到渠成了。譬如正切函數的導數，一點也不難，只要先改成：

$$\frac{\mathrm{d}}{\mathrm{d}x}(\tan x) = \frac{\mathrm{d}}{\mathrm{d}x}\left(\frac{\sin x}{\cos x}\right)$$

由商法則，可得：

$$\frac{\mathrm{d}}{\mathrm{d}x}\left(\frac{\sin x}{\cos x}\right) = \frac{(\cos x)(\sin x)' - (\sin x)(\cos x)'}{\cos^2 x}$$

$$= \frac{(\cos x)(\cos x) + (\sin x)(\sin x)}{\cos^2 x}$$

$$= \frac{\cos^2 x + \sin^2 x}{\cos^2 x}$$

由於 $\sin^2 x + \cos^2 x = 1$，上式就等於 $\frac{1}{\cos^2 x}$，又由於 $1/\cos x = \sec x$，因此最後的結果就成了 $\sec^2 x$。

因為這個正切函數的導數經常出現，所以值得把它背下來：

$$\frac{\mathrm{d}}{\mathrm{d}x}\tan x = \sec^2 x$$

其他三個三角函數 sec x、csc x 及 cot x 的導數似乎不需要去背，因為它們都很容易推導出來。同樣的，要不要實際推導，跟任課教授的喜好非常有關係。但無論如何，你一定要知道如何利用正弦跟餘弦的導數，去求這三個函數的導數，因為這是相當典型的考題。

在這兒附帶提一點，正如餘弦函數在微分時加了一個負號，其他兩個以「餘」開頭的三角函數，亦即餘割（csc）及餘切（cot），微分時也要加負號。

12.6 二階導數、三階導數、更高階的導數

在這一節，我們會把同一個函數微分很多遍，這說起來相當容易，因為你已經知道怎麼求函數的導數了。綜括來說，函數f(x)的導數，f'(x)，本身仍然是x的函數，所以照樣可以微分，再取其導數，得到的結果就以f''(x)表示，稱為f(x)的二階導數。當然，這個二階導數f''(x)一樣可以再微分取導數。這就有些像把肉放進絞肉機裡絞碎，若想要絞出來的肉細嫩好吃，你可以一絞再絞，直到你滿意為止。（如果你吃素，請把絞肉機的比喻改為果菜汁機。）

舉例來說，如果$f(x) = 2x^3$，則$f'(x) = 6x^2$，而$f''(x) = 12x$。

你或許會問，求二階導數要幹嘛？請稍安勿躁，等我們以後談到函數圖形的時候，你就會明白了。

就像老牌影星伊麗莎白泰勒，在她的第二次婚姻變成過去式之後猛然省悟：「幹嘛我一定要停在第二次呢？」在此你也可以一而再、再而三的微分，取導數。

所以，若繼續剛才的例子，我們就得到$f'''(x) = 12$，$f^{(4)}(x) = 0$，而更高階的導數全都等於0。

一般而言，$f^{(n)}(x)$就是指f(x)的n階導數。

（比較刁鑽的）例題 如果$f(x) = \sin x$，那麼$f^{(101)}(x)$為何？

你以為我們在開玩笑，是吧？叫你一次次的取導數，一共取101次？你一定覺得我們是神經病。

其實你根本不必那麼折騰。瞧，這些導數事實上是在兜圈子，每微分四次就會循環一周，回到原點：

$$f(x) = \sin x$$
$$f'(x) = \cos x$$
$$f''(x) = -\sin x$$
$$f'''(x) = -\cos x$$
$$f^{(4)}(x) = \sin x$$

微分第四次時，得到的導數又回到了最初的 sin x。

同理，

$$f^{(8)}(x) = \sin x$$
$$f^{(12)}(x) = \sin x$$

事實上，

$$f^{(100)}(x) = \sin x$$

因為100是4的倍數。所以若再取一次導數，你就會得到

$$f^{(101)}(x) = \cos x$$

夠酷吧？

第 *13* 章

速度：油門踩到底

13.1 速度即導數

　　現在我們來看看導數在日常生活上的一些用途，目的是要把導數跟你的生活起居拉上關係，讓你覺得它就在你的身邊。我們想告訴你，導數不只是你的街坊鄰居，而且還可以變成你真正的朋友。但是怎麼樣才能從泛泛之交，一變而成為好朋友呢？這很難一概而論，不過若是對方願意替你做一些事情，譬如在你生日時送張卡片，或者偶爾為你做頓好吃的晚餐等等，這些多少會對增進雙方友誼有所幫助。

　　導數雖然不會為你做這類事情，卻能夠為你做一些其他好友沒

法辦到的事情,一些能說服你敞開心胸的事情。怎麼說呢?舉例來說吧,導數能告訴你速度有多快;假設你正在開車兜風,你也不時看一下車速表,譬如你看到指針正指著時速65英里(相當於時速105公里),這是在告訴你,你的寶貝車的瞬時速度。為何說是瞬時速度呢?因為如果你多踩一點油門,車速就會加快一些,換言之,車速表告訴你的,是當時那一瞬間的車速,而不是全程的平均速率。

定速跟變速之間,有很重要的區別。我們不是常說嘛,速度＝距離÷時間,不過,這個說法照一般人的意思,多半是指整趟旅程的平均速率。但是除非你的車子裝有定速裝置,否則你的車速免不了會時快時慢。不管怎麼說,在這兒你得分清楚什麼是平均速率,什麼是瞬時速度:平均速率就是下面這個公式:

$$\frac{總距離}{總時間}$$

至於瞬時速度,這正是接下來要談的,且聽我們慢慢道來。

到底什麼是瞬時速度?我們可以把瞬時速度想成是「在非常短的一段時間內的平均速率」。依照這個想法,如果函數f(t)表示在時間為t時、我們在一直線上的位置(你可以把這條直線想成是從台北的南港到屏東的東港),用v(t)表示瞬時速度,另外用Δt表示一段非常短的時間,那麼在t時間,你的位置是在f(t),等到經過一小段時間Δt,也就是在t + Δt時間,你的位置就是在f(t + Δt)。換句話說,在這短短的Δt時間內,車子走過的距離為f(t + Δt) – f(t),也就是在Δt這段時間內,你的平均速率是:

$$\frac{f(t + \Delta t) - f(t)}{\Delta t}$$

現在你恐怕也讀得不耐煩了，什麼短時間內的平均速率，趕快告訴我瞬時速度是什麼鬼東西吧！簡單，只要把上述平均速率裡的 Δt，繼續縮短到零嘛。所以就是：

$$v(t) = \lim_{\Delta t \to 0} \frac{f(t + \Delta t) - f(t)}{\Delta t}$$

如果你還算專心的話，你可能會馬上察覺：「等等，這不就是導數的極限定義嗎？原來瞬時速度函數就是 f(t) 的導數。」

一點也不錯，若 f(t) 是位置函數的話，瞬時速度 v(t) = f'(t)。

13.2 車子的位置與速度

例題　假設你人在美國，開車從紐約前往波士頓，而你一路上的位置函數（離開紐約的里程，單位為英里）以下面這個函數表示：

$$f(t) = \frac{5t^3}{3} - 25t^2 + 120t$$

函數中的 t 是從起點到達旅程中某一定點所花掉的小時數。假設你開了 8 小時的車，才終於到達波士頓。

　　(a) 試求當 t = 1/2 小時，你的車速若干？

　　(b) 在這趟旅行途中，你有沒有走回頭路？

　　解(a)　首先我們得從題目給的位置函數，算出瞬時速度函數：

$$v(t) = f'(t) = 5t^2 - 50t + 120$$

然後，若想知道出發半小時後的車速，只要把 t = 1/2 代入上面的速度函數就可以了：

$$v(1/2) = f'(1/2) = 5(1/2)^2 - 50(1/2) + 120 = 5/4 - 25 + 120 = 96.25 \text{ mph}$$

嘿！你開得未免太快了吧？（相當於每小時155公里！）

解(b)　你有沒有走回頭路？當然有。看來你在開進休息站的時候，爲了仔細查看你頭上的幾根稀疏頭髮，你把心愛的紐約大都會隊的棒球帽摘了下來，結果擱在洗手台上忘了帶走。等到車子開過羅德島州的首府 Providence，你突然從後照鏡裡瞧見自己的40燭光腦袋瓜，這才察覺到你把你的寶貝球帽給忘啦。於是你即刻掉頭，回到那個休息站，卻不幸發現帽子給人丟進馬桶了，這準是波士頓紅襪隊的球迷幹的好事。

你會問，我們是怎麼知道的？當然是從速度函數看出來的。怎麼說呢？如果在這趟旅途中（即 0 ≤ t ≤ 8），速度函數曾經爲負值，就表示你在那段時間裡一定是往紐約的方向回頭開。另外請注意：

$$v(t) = 5(t^2 - 10t + 24) = 5(t - 6)(t - 4)$$

表示當 t = 4 跟 t = 6 時，v(t) = 0，也就透露出你曾把車子停下來，想來那應該是當你發現丟了帽子，決定掉頭開回休息站（因此你的速度由正轉負），等你看到馬桶裡的帽子，只好心痛的空手離開，繼續你的波士頓之行。要怎麼推斷我們說得對不對呢？你可以把這段時間內的任一時間點，譬如 t = 5，代入速度函數：

$$v(5) = 5(5)^2 - 50(5) + 120 = -5 \text{ mph}$$

果真是個負數，表示你的確掉過頭，走了回頭路。你的確非常喜愛那頂棒球帽。要不是這麼一折騰，你早就該到達波士頓了，怎麼也不會花掉8個小時呀……

13.3 自由落體的速度

例題 假設自從你開始修微積分這門課，就不幸得了極嚴重的頭痛症，什麼針灸、止痛藥、心理輔導等等你全都試過，可是病情不但不見好轉，甚至愈來愈糟。最後你實在不能忍受其苦，決定一了百了，於是開車到舊金山雄偉的金門大橋中央，下了車，爬過護欄，高高站在橋架邊緣，水面上方400英尺處。此時你仍然頭痛欲裂，心想這麼痛苦，不活也罷，所以先把微積分教科書（不管走到哪，你都隨身帶著）從懷裡掏出，往大海裡一丟，隨後自己也翻身向下跳去。好了，你這一跳，頓時成了自由落體，因此在t秒後，你距離水面的高度（以英尺計）就表示成這個函數：$h(t) = 400 - 16t^2$。

請問：(a) 你得等多久，才會撞到水面？

解(a) 這部分非常簡單，根本不需要用到微分的技巧。撞到水面就等於你的高度變成了0，亦即$h(t) = 0$，因而：

$$400 - 16t^2 = 0$$
$$t^2 = 400/16 = 25$$
$$t = 5$$

　　所以你在跳出後5秒，就撞到水面了。

　　但是就在你把教科書丟出去的一剎那，你發現頭痛居然不藥而癒。你這時才恍然大悟，原來讓你頭痛的正是那本人人厭惡的微積分教科書！頃刻間，無病一身輕，人生處處充滿光明與希望，喚回了你對生命的熱情。

　　(b)現在假設你從小練習過跳水，是箇中高手，因此只要你撞擊水面的速度在每秒200英尺以內，你就會安然無恙，毫髮無傷。請問：你這次會安然無恙嗎？

　　解(b)　這兒的關鍵是你撞擊水面時的速度。我們可以微分h(t)，由此求出速度函數：

$$v(t) = h'(t) = -32t$$

　　從(a)我們已經知道，你在 t = 5的時刻會撞擊水面，因此當你撞擊水面時的速度就是：

$$v(5) = -160$$

這表示你撞擊水面的速度是每秒160英尺，所以你暫時安然無恙。答案之所以有個負號，是表示你的高度在減少。我們說你暫時沒事，是指你尚未脫離險境，剩下的問題還大得很──你掉進的是惡名昭彰的冰冷海灣，所以你必須跟強大的海流奮戰，在冰凍的海水裡游泳2英里才能上岸。如果你辦得到，也許還趕得上三點鐘的微積分課。

第14章

鏈鎖律：
S&M的遊戲？

　　一瞧見鏈鎖律這個名稱，你可能會聯想到人犯被關在潮濕的黑牢裡，腳鐐手銬的栓在笨重的鐵鍊上，鐵鍊的另一端牢牢釘死在牆上，而且一關就是20、30年之久。只不過，鏈鎖律的實際情況沒有你想像的這麼糟，頂多只關個10年。

　　鏈鎖律的目的，是要讓我們能夠微分那些合成函數。這個規則中有兩項重要素材：一項是我們需要知道如何微分，另一項則是我們得知道如何把函數合成在一塊兒。你發現了嗎？這兩項素材我們在前面都分別討論過了，現在只需把它們攪和到一起就成了。

　　對於鏈鎖律，你只有一個極其簡單的口訣要背下來。

鏈鎖律（chain rule）

$$\frac{\mathrm{d}}{\mathrm{d}x} f(g(x)) = f'(g(x))g'(x)$$

用文字來敘述，就是「由兩個函數湊起來的合成函數，其導數就等於裡邊函數代入外邊函數的值之導數，乘以裡邊函數的導數」。唸起來雖說有點拗口，但是只要特別注意那些括弧，不要放錯了地方，就不容易出錯啦。

我們在這兒不打算證明這個公式給你看，不過你不必擔心，我們絕不會編造這樣一條奇怪的公式來騙你。

現在我們再仔細瞧瞧這個公式。你從它得到的訊息，應該是如何去求合成函數 f(g(x)) 的導數，也就是方程式左手邊的部分；因此，這就表示你應該能把某些東西填進方程式右手邊的部分。這樣說還不是很清楚明瞭，讓我們舉個例子來說明。譬如：

$$f(x) = \sin x$$
$$g(x) = x^2 + 4$$

於是，

$$f(g(x)) = \sin (x^2 + 4)$$

現在我們想求這個函數的導數，也就是要問：$\frac{\mathrm{d}}{\mathrm{d}x} f(g(x))$ 會等於什麼？我們只要把鏈鎖律公式右手邊的各項，一項一項像用填空的方式找出來：

$$f'(x) = \cos x$$

$$f'(g(x)) = \cos(g(x))$$

$$= \cos(x^2 + 4)$$

$$g'(x) = 2x$$

所以 $\dfrac{d}{dx} f(g(x))$ 也就等於上面最後兩項的乘積：

$$\frac{d}{dx} f(g(x)) = [\cos(x^2 + 4)]2x$$

最末端的「2x」有時候稱作「尾巴」。正如狐狸媽媽在小狐狸第一天離家上學時，送牠上校車，臨別時一定會再三叮嚀：「小乖乖，放學後別忘了把尾巴帶回來喲！」

　　鏈鎖律還有第二種形式，比前面的第一形式容易記，但可能也比較難以應用。此形式是這樣的：假設我們想求 f(g(x)) 的導數，我們可以先加一個新的變數「u」，而且設 u = g(x)；於是我們要求的就是 f(u) 的導數，其中 u = g(x)。然後，鏈鎖律就搖身一變成了下面這個非常好記的公式：

$$\frac{df}{dx} = \frac{df}{du} \frac{du}{dx}$$

　　譬如我們要求：

$$\frac{d}{dx} \left(\sqrt{x^3 - 7x} \right)$$

就可以先設 $f(u) = \sqrt{u}$，而 $u = x^3 - 7x$。於是

$$\frac{df}{dx} = \frac{df}{du} \frac{du}{dx}$$

$$= \frac{1}{2\sqrt{u}} (3x^2 - 7)$$

$$= \frac{3x^2 - 7}{2\sqrt{x^3 - 7x}}$$

當然，這兩種形式各有各的難處，否則為什麼幾乎每個修微積分的人都聞之色變？歸根究柢，它的真正難處是，題目中通常不會自動點出什麼是 f、什麼是 g，這些題目只是丟給你某個複雜可怕的函數，然後叫你微分。所以真正的問題並不是要你把函數合成起來，而是去「分解」——找出函數的組成份子。每個人終有一天會認識到分解、腐爛（除非你選擇火葬），既然是遲早的事，幹嘛一定要等到那個時候呢？咱們現在就開始學呀！

這兒有個最常見的情況。假設 $h(x) = (g(x))^n$，那麼 $h(x)$ 應該是 $f(x) = x^n$ 跟 $g(x)$ 的合成函數，至於 $g(x)$ 是啥，我們暫時還不知道。但是從冪法則，我們得知 $f'(x) = nx^{n-1}$，所以：

$$h'(x) = f'(g(x))g'(x) = n(g(x))^{n-1}g'(x)$$

這是冪法則的廣義形式，很像多了個尾巴的冪法則，我們不妨稱之為「廣義冪法則」：

$$\frac{d}{dx} (g(x))^n = n(g(x))^{n-1} g'(x)$$

這兒有個很好的實例，可說明廣義冪法則：

$$\frac{d}{dx}(\sqrt{3x^5}) = \frac{d}{dx}((3x^5)^{1/2}) = \frac{1}{2}(3x^5)^{-1/2}(15x^4)$$

（複雜的）例題　令 $k(x) = (\cos(\sqrt{x} - x))^3$，求 $k'(x)$。

這個題目相當刁鑽，但是我們不難看出，題目所給的函數是由幾個小零件湊起來的：先是 $\sqrt{x} - x$ 取餘弦，然後整團東西再取三次方。所以我們可以令：

$$f(x) = \sqrt{x} - x$$

$$g(x) = \cos x$$

$$h(x) = x^3$$

於是 $k(x) = h(g(f(x)))$。

那麼 $k'(x)$ 等於什麼呢？若把前面累積起來的知識重複運用，你就可以得到：

$$k'(x) = (h(g(f(x))))'$$

$$= h'(g(f(x)))(g(f(x)))'$$

$$= h'(g(f(x)))g'(f(x))f'(x)$$

在上面的算式裡，我們其實只須把鏈鎖律應用到第二行的「尾巴」$g(f(x))$ 上。這時你可能會問：「什麼時候我才知道演算已經完成了呢？」答案很簡單，如果你看到還有「′」這個微分符號緊跟在括弧後面，像第一行跟第二行那樣，就表示還有待努力；一旦「′」全都緊跟在英文字母後頭，就表示你做完了。現在，再把式子中各個

項目分別計算出來：

$$f'(x) = \frac{1}{2}(x)^{-1/2} - 1 \qquad \checkmark$$

$$g'(x) = -\sin x$$

$$h'(x) = 3x^2$$

$$g'(f(x)) = -\sin(\sqrt{x} - x) \qquad \checkmark$$

$$g(f(x)) = \cos(\sqrt{x} - x)$$

$$h'(g(f(x))) = 3(\cos(\sqrt{x} - x))^2 \qquad \checkmark$$

最後，k′(x)就是上面打了勾（√）的三行式子的乘積：

$$k'(x) = [3(\cos(\sqrt{x} - x)^2)]\,[-\sin(\sqrt{x} - x)]\Big[\frac{1}{2}(x)^{-1/2} - 1\Big]$$

在你想知道是否還有時間退選微積分之前，你應該先有個心理準備：理論上，教授有可能叫你去微分一個包括了七個函數的合成函數，因此你需要連續應用六次鏈鎖律，浪費一大堆紙，才能找出答案。不過話說回來，教授出此考題，其實是非常不切實際的，因為總得有個可憐人去批改考卷，他自己當然可以避免這項苦差事，但是就連他的碩博士班學生，也不會高高興興的替他仔細追蹤檢查你那密密麻麻的六大張算式。

所以，如果你的教授不是不近情理的神經病，考題最多只會要求你使用兩次鏈鎖律；即使這樣，你班上至少有一半的同學，還壓根兒不會應用兩次鏈鎖律呢。因此你最好多看看最後那個例題，做熟練一些，你的成績就會在全班的前50%啦。

第 *15* 章

畫函數圖形：
如何當個專家

15.1 畫函數圖形

　　我們在前面提過最原始的函數圖形畫法：先描出幾個點，最後把這些點連起來。除了這種方法，現在我們要來看看，導數在畫函數圖形方面能不能告訴我們一些訊息。如果已知某函數的導數在某處是個正值（以數學行話來說，即指在某個定值 x，f'(x) > 0），就表示通過該點的切線斜率爲正，或函數圖形在該點的斜率爲正，也就是該函數在遞增。反過來說，如果導數在某處爲負值，則表示該函數在遞減（見次頁圖15.1）。

　　所以，假如你身爲某帳棚公司的財務經理，走進會議室向董事

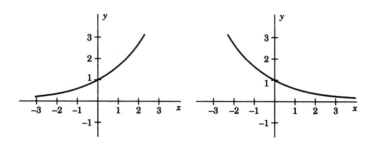

圖15.1　(a) 函數遞增；(b) 函數遞減。

們做報告時說：「各位先生女士，我有個不太好的消息要報告給大家：我們的利潤函數的導數目前是負值。」你馬上就會看到在座的董事們開始面色沉重。你的意思並不是說公司目前在賠錢，正好相反，大家還是有賺錢；只不過，公司的利潤正在下滑，如果不想辦法及時扭轉頹勢，要不了多久，利潤就會掉到0以下，公司只有關門大吉，大夥就等著到附近的遊樂場去掃廁所混口飯吃了。

　　另一方面，假設你是一個具有超智慧的外星植物孢子，正試圖征服、統治地球上的人類。孢子隊長向你報告說：「受我們操控的『智人』數目的導數現在為正值。」你聽到這樣的消息，真是雀躍萬分，因為這消息的意思是說，被你們控制的人類總數正在增加，只要這趨勢持續下去，加上一點點運氣，有朝一日地球上的每一個人都會臣服於你。到時候，你就又征服了一顆行星，若照這樣繼續征服另外二十幾萬顆行星，就再也不會有誰譏笑孢子啦！

　　屠龍刀出鞘　請環顧教室一周，估計一下到底有多少同學，已經受到外星植物孢子的控制。教授不算在內。

　　要是函數在某個x值的導數既非正也非負，而是等於0呢？這表示該函數既不遞增，也不遞減，猶如停留在一個平台上。如果看看x的兩旁之後，你會發現x可能是位於高點（如圖15.2a），或可能是位於低點（如圖15.2b），要不就是位於一個休息站或轉折點（如圖15.2c）。

　　無論如何，經過該點的切線一定是水平的。好了，我們現在可要告訴你一些有用的訊息：如果知道了這類平台的位置，你至少就能得知外星植物孢子的入侵狀況，進而決定地球的命運。這樣吧，

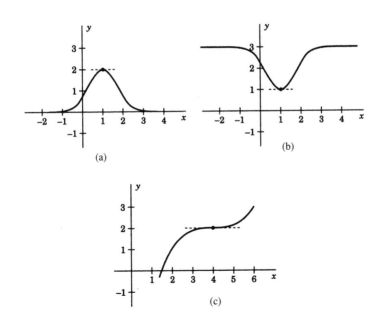

圖15.2　函數在幾個x值的導數等於0：(a) 在高點；(b) 在低點；(c) 在中途休息處。

讓我們把導數等於0的那個點的 x 座標，叫做「臨界點」好了。

　　讓我們說清楚、講明白　如果一個函數在各處都有定義，那麼在該函數的高點或低點：

$$f'(x) = 0$$

　　我們稱高點為該函數的局部（或相對）極大值，稱低點為該函數的局部（或相對）極小值。

例題　試找出下面這個函數所有的局部極大值跟局部極小值。

$$f(x) = x^2 - 4x + 5$$

　　局部極大跟極小值只有在 $f'(x) = 0$ 的地點出現，也就是在我們前面提過的臨界點。從題目所給的函數，我們得到：

$$f'(x) = 2x - 4$$

所以，若希望

$$f'(x) = 0$$

則

$$2x - 4 = 0$$
$$x = 2$$

　　請注意：當 x < 2 時，$f'(x) < 0$，意謂該函數在遞減；而當 x > 2 時，$f'(x) > 0$，意謂該函數在遞增。又當 x = 2 時，f(x) = 1，所以我

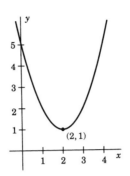

圖 15.3 $f(x) = x^2 - 4x + 5$ 的圖形

們知道它的圖形通過點 $(2, 1)$，因而看起來一定如圖 15.3 所示。

相當不錯。只花了一點點功夫，我們就大致搞清楚了這個函數圖形的長相。特別是我們已經了解，它只有一個局部極小值，而且完全沒有局部極大值。幾分鐘內就能得知這麼多訊息，而且畫出來的圖形幾乎是非常正確，完全不像「連連看」那麼呆板無聊，真是可圈可點。

例題 試畫出 $f(x) = x^3 - 3x + 1$ 的圖形。

首先，我們要找找圖形的高點跟低點在哪兒（如果有的話），也就是 $f'(x) = 0$ 的所有點。所以，第一件事就是求 $f'(x)$：

$$f'(x) = 3x^2 - 3$$

第二步是讓它等於 0，也就是解：

$$3(x^2 - 1) = 0$$

$$3(x - 1)(x + 1) = 0$$

這就告訴我們，x = 1 跟 x = −1 是兩個可能的答案。

因此，高點與低點可能在 x = 1 跟 x = −1 兩處。那麼我們又要如何判定究竟哪個是高點、哪個是低點，或者兩個同為高點或低點呢？搞不好兩個都是休息站。要怎麼判斷？當然是用導數。我們只要看看 f(x) 在其他 x 值的導數是正是負，就能知道該處在遞增還是遞減。那麼要怎麼看 f′(x) 對不同的 x 值是正是負呢？由於情形較為複雜，所以我們最好用一個表把它們全都列出來：

函數	x < −1	−1 < x < 1	1 < x
x + 1	−	+	+
x − 1	−	−	+
f′(x) = 3(x − 1)(x + 1)	+	−	+
f(x)	遞增	遞減	遞增

比方說，當 x < −1，x + 1 為負，x − 1 亦為負，而兩者之乘積反而變成了正，即 f′(x) 為正，所以 f(x) 在遞增。當我們通過了 x = −1，f(x) 就從遞增變成遞減，所以在 x = −1，一定有個局部極大值。而在通過了 x = 1 後，f(x) 又從遞減變成了遞增，所以在 x = 1 一定有局部極小值。

為了畫出函數圖形，我們還得知道 x = 1 跟 x = −1 時的函數值。把兩個 x 值分別代入 f(x)，我們得到 f(−1) = 3 以及 f(1) = −1。有了以上的訊息，如圖 15.4 所示的函數圖形便昭然若揭啦！

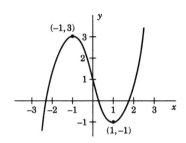

圖 15.4　f(x) = x³ − 3x + 1 的圖形

15.2 能夠絆倒你的困難圖形

好了，看來函數圖形不過如此，還有什麼事需要知道呢？唔，以上兩個例題僅僅是最基本的，往後你可能會遭遇到的難題尚未現身呢。現在讓我們挑一、兩個來瞧瞧。

1. 導數等於 0 的點，不一定是局部極大或局部極小值，下面這個函數就是一個例子：

$$f(x) = x^3$$

它畫出來的圖形就如次頁圖 15.5 所示。

2. 有時，一個函數的局部極大或極小值，會發生在導數不存在的點。下面的函數就是一個這樣的例子：

$$f(x) = x^{2/3}$$

它的導數就是

$$f'(x) = (2/3)x^{-1/3}$$

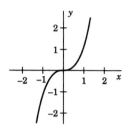

圖 15.5　f(x) = x³ 的圖形

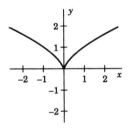

圖 15.6　f(x) = x^{2/3} 的圖形；導數在 x = 0 不存在，這是因為在那兒的切線
　　　　是垂直的。

在 x = 0，導數沒有定義！但是從圖 15.6 來看，極小值的確發生
在 x = 0 的地方。

導數等於 0 或者導數不存在的點，都有可能是局部極大或極小值
的所在。所有這些點的 x 值，都稱為臨界點，了解這點非常重要。

> 考試必背　局部極大值跟局部極小值的所在，導數可能不存在，
> 　　　　　也可能等於 0。

15.3　二階導數檢驗

我們剛才看到，若在點 x = a，f'(x) = 0，而且對 x < a，f'(x) > 0（表示此函數在 a 的左手邊是遞增），而對 x > a，f'(x) < 0（表示此函數在 a 的右手邊是遞減），則點 x = a 一定是函數 f(x) 的局部極大值（山丘的高點）。不過，每次都要在臨界點左看右瞧，也真夠煩人的了，在現在這個忙碌的社會，誰有時間這麼磨蹭？幸好，我們有一個代用辦法，可以更快得知那個點是極大還是極小。

我們可以用著名的「二階導數檢驗」，它的功能非常驚人：

如果 x = a 是個臨界點，且 f'(a) = 0，則：

1.　若 f"(a) > 0，則函數在 x = a 有局部極小值。
2.　若 f"(a) < 0，則函數在 x = a 有局部極大值。

簡單吧！唯一的問題是你要怎麼記住哪個是哪個，而不至於搞混？這也很簡單，只要記得圖 15.7 所示的面具就安啦！右手邊的笑臉以兩個加號當作眼睛（加號代表 f"(x) > 0，二階導數為正），微笑的嘴形當然就代表局部極小值；左手邊的哭臉眼睛閉著，是兩個減

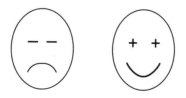

圖 15.7　在極大值，觀點（以及二階導數）是負面的。在極小值，觀點（以及二階導數）是正面的。

號（代表f″(x) < 0，二階導數爲負），而下彎的嘴形當然也就表示是局部極大值了。當然，你也許會認爲，我現在好歹也是大學生了，可不想再玩這種小孩子遊戲！但是，奉勸你拋開自尊，把這兩個可愛的面具記牢，沒事的時候不妨親手畫幾次，這對記憶非常有幫助。

對了，我們還漏掉了一種情況，那就是當f″(a) = 0的情形。眞是抱歉，我們也不知道會發生什麼情形。事實上，它仍然表示是極大值、極小值或休息站的其中一種。看來我們必須回到那個麻煩的老方法，耐著性子去檢驗臨界點兩邊的導數，看看究竟是遞增還是遞減。已經講得夠囉唆啦，讓我們來點實際行動吧！

例題　試求函數f(x) = 2x³ + 3x² − 12x + 14之所有極小值跟極大值。

嘿！這和前一個例題的函數不是長相差不多嗎？不過，現在你可以改用新學到的二階導數檢驗法，去判定極大值與極小值。我們已經知道，f′(x) = 6x² + 6x − 12 = 6(x − 1)(x + 2)，而兩個臨界點分別是x = −2跟x = 1；接著取二階導數，得到f″(x) = 12x + 6。由於f″(−2) = −18 < 0，所以在x = −2，有局部極大值；又由於f″(1) = 18 > 0，所以在x =1有局部極小值。你瞧，這多麼簡單呀！

15.4 凹性

現在讓我們談談曲線更精緻的一面。你知道那些喜歡買精緻小跑車的跑車狂，他們其實極少把車開出去兜風，他們只是長年把車停放在車庫，不時去擦拭、撫摸一番。對此我們一點也不覺得怪

異，當隔著一層柔軟的布，順著車輪上方的擋泥板，一寸一寸的感受金屬車身的平滑表面，有誰能不為之陶醉呢？那種說不上來的感受，混合著刺鼻的機油味、玲瓏的保險桿曲線……無一不叫人想入非非。但是，這跟數學有啥關係呢？

這個嘛，數學至少可以幫助你賺到買跑車所需的錢，而且一旦你把車開回家之後，還會需要數學替你度量那些擋泥板的曲線有多凹凸有致，也好在下次的跑車展示會上，向眾人炫耀一番。

那麼我們該如何度量那些曲線呢？這就是二階導數 f″(x) 的工作跟用途啦。二階導數其實是一階導數的導數，即 (f′(x))′，也就是一階導數的變化率；另一個說法是，它是切線斜率的變化率。如果 f″(x) 是個正值，切線的斜率遞增，也就表示函數圖形的凹口向上（笑臉，見次頁圖 15.8）。

當 f″(x) 是負值，表示切線的方向也在逐漸變化，但是這一次，負值告訴我們斜率正在遞減，於是就得到如圖 15.9 所給的一條凹口向下的曲線（哭臉）。

記誦訣竅　想想這段順口溜：「凹口向上……來乾一杯。凹口向下……幹嘛皺眉頭？」（好啦好啦，我承認這段順口溜了無新意，中文尤其譯得爛，一點也不溜。那又怎麼樣？你到底想不想 high pass 呀？）

如果 f″(x) 值很大，而且不管是正是負，都表示切線斜率的變化很大，所以畫出來的曲線彎曲度很大。反之，如果 f″(x) 值很小，那表示切線斜率的變化很緩慢，圖上各點的切線指著差不多同一個方向，因此畫出來的圖形只有些微的彎曲。

曲線從凹口向上變成凹口向下，或從凹口向下變成凹口向上的

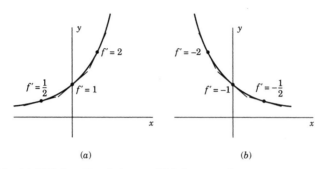

圖15.8　(a) 遞增中，凹口向上。(b) 遞減中，凹口向上。

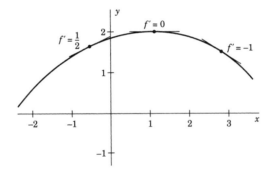

圖15.9　f″(x)是負數時，表示圖形凹口向下。

點，我們稱為反曲點（inflection point，或稱拐點）。在反曲點上，只有兩種情形：f″(x) = 0，或f″(x)根本不存在。在畫函數圖形的典型考題裡，題目可能會要求你找出一個函數的所有反曲點，接著把圖形畫出來，並標示凹性。在你讀過上面這些內容之後，這種題目簡直就跟喝湯一樣簡單。

　　再回到我們剛才那道例題：

$$f(x) = 2x^3 + 3x^2 - 12x + 14$$

因為

$$f''(x) = 12x + 6$$

所以可能的反曲點在 $x = -1/2$。進一步的計算告訴我們：

$$對 x < -1/2，f''(x) < 0$$

以及

$$對 x > -1/2，f''(x) > 0$$

　　所以證明 $x = -1/2$ 的確是一個反曲點，而在該點的左邊，函數曲線凹口向下，該點右邊的曲線則凹口向上。

第 *16* 章

極大值與極小值：
實用部分

16.1 閉區間上的最大值及最小值

假如我們想求某個函數的最大值，譬如求頭皮上毛囊數目的最大值。然而，我們頭皮上的毛囊的最後數目，是金額 x 的函數，而 x 是我們願意付給「安東尼植髮沙龍」的植髮費用。在這個假設裡，我們還必須考慮一些現實問題，那就是我們口袋裡面的錢有限，總得存一筆錢，以備老來時補牙之用。所以，我們不得不把植髮費用 x 的範圍限定為 $0 \le x \le 500$（單位：美金）。

現在，我們想知道在區間 [0, 500] 內，毛囊總數函數 H(x) 是否有一個絕對極大值（或最大值）？而對這個 H(x)，假設我們已經有一

個很明確的函數來表示：$H(x) = 12x^2 - 2400x + 120,000$。接下來，我們就可以找出H(x)在給定區間內的最大值。

首先我們注意到，在給定的費用限度區間內，該函數跟它的導數處處有定義，所以在區間內的任何一局部極大值（或極小值），$H'(x) = 0$。因此，發生最大值的位置只有兩種：一是位於其中一個臨界點上，一是位於該區間的頭尾兩端點中之一點（在這個例子中，就是指x = 0 或x = 500）。好啦，經過這麼解釋之後，你應該知道找出最大值的方法就是：先找出臨界點，接著算出各臨界點以及區間兩端點的函數值，然後取其中最大的那一個值——這就是我們所要的答案啦！

以此例來說，$H'(x) = 24x - 2400$，令它等於0之後，我們就得到x = 100 美金，這是唯一的臨界點。接著再一一計算出此臨界點以及頭尾兩端點的毛囊數函數值，我們依序得到H(0) = 120,000 個毛囊、H(100) = 0 個毛囊，以及H(500) = 1,920,000 個毛囊。所以，毛囊數的最大值顯然發生在我們花了500 美元的時候。換句話說，在你一毛都不肯拔的情況下，你只能維持你原有的120,000 個毛囊，比一般正常數目要少一些；你若是付出了100 美元，他們開始替你治療，顯然那麼一點點錢，只夠他們把你所有的頭髮全部整光。但是如果你肯花掉500 美元，你的頭髮不但濃密得掩蓋住腦袋瓜，甚至還可蓋住你的脖子跟背部，明年夏天你的防曬開銷可因此節省不少。

16.2 應用問題

好啦！我們現在要進入微積分的實用部分了。研究理論真的非常了不起，叫人嚮往，每一個搞研究的人，都希望在有生之年能夠

研究出宇宙的大一統定理，但是那並不是一種可以用來維持生計的可靠職業。在這一節裡，我們要解決一些最現實的應用問題，例如「如何用一張長方形硬紙板，做出一個具有最大體積的紙盒？」你聽了可能會覺得好笑，殊不知這正是最典型的題目之一，在微積分教科書裡經常出現，次數比任何其他的題目都更高。另外，又有誰會忘記那個深受學生喜愛的：「如果一位農夫手上有100英尺長的圍欄，想用它圍出一個長方形豬圈，而且這豬圈的其中一邊緊靠著現成的房屋牆壁。試問：若想圍出最大面積的豬圈，長、寬應該各為多少？」

我們知道，你心裡會想：在美國或台灣，如今仍靠著傳統農業來謀生的人，在人口比例上已經非常少，少到我們需要用放大鏡才勉強看得見。所以，這種題目老早就過時而無關緊要了，是幾十年前報童騎腳踏車送報的時代才需要關切的題目。以美國為例，豬隻如今都成了巨無霸事業集團的「產品」跟「收成」，這些事業集團擁有整個內布斯加、堪薩斯及愛荷華州，而昔日的報童，也已經換成了身穿緊身T恤的成年人，開著鏽跡斑斑的Oldsmobile汽車，儀表板底下還藏了半打罐裝啤酒。

但是你得記住，這些取代了末代農夫的「農業公司」，每年都要付給顧問大把大把的銀子，拜託這些顧問告訴他們，如何建出最好的豬舍。至於那些送報的專業機構，也對如何精簡送報路線非常有興趣，因為那樣一來，那些Oldsmobile就可以少跑些路，撐久一些，而公司的開銷也會更為節省，

面對這類問題，我們該運用什麼理論來解決呢？

記得我們在上一節說過，當函數有一個局部極大值或極小值，而且若它的導數存在，則導數為0。所以，一個函數的絕對極大值或

極小值，就在導數為0或導數不存在的點上（這兩種點都是臨界點），否則就是在定義域的頭尾兩端點上。

　　警告　別忘了：最大值或最小值可能出現在端點的其中一點。譬如說，有個非常愚蠢的問題是這樣問的：「假設你有100英尺長的圍欄備用，請問面積『最小』的長方形豬圈，長寬應該是多少？」如果題目沒印錯，答案當然出現在閉區間 [0, 100] 的端點（也就是長寬都等於0英尺的「豬圈」──這只能圈住出這種題目的蠢豬）！

　　現在，讓我們從最簡單、但也是很普通的題目做起，並且一邊做一邊說明，解這類「最大、最小值」問題的各種技巧。

例題　試找出兩個非負值的實數，讓兩數的和為66，而且乘積為最大值。

　　（解這個問題其實可以不用微積分，但是既然這是微積分課，而且舉這個例題出來，是要讓各位學習微積分技巧，以便用在其他許多題目上，而不是要向大家證明，我們在沒有微積分的困苦條件下如何勉強過日子。所以，我們在這兒非得使用微積分不可。）

第1步：設變數。令第一個數是x，第二個數是y。由於兩個數都得是非負的實數，所以

$$x \geq 0 \qquad y \geq 0$$

請注意，x跟y都必須小於或等於66。

第2步：寫出一個函數，以便待會兒可以求它的最大值。在這兒我們選用了英文字母P來代表該函數（這個選擇不錯，因為P是「乘積」product這英文字的第一個字母）。按題意，可令

$$P = xy$$

我們的目的就是要找出P的最大值。

第3步：把變數之間的關係寫出來。題目已經清楚告訴我們：

$$x + y = 66$$

第4步：利用第3步寫出的關係式，把函數P的變數數目減少為只有一個。由於$y = 66 - x$，我們得到：

$$P = x(66 - x)$$

第5步：找出P的臨界點。由於

$$P = 66x - x^2$$

因而

$$P' = 66 - 2x$$

令$P' = 0$，則

$$66 - 2x = 0$$
$$x = 33$$

表示我們有一個臨界點。至於P在此x值上是極大值、極小值，還是兩個都不是？這得等到進入第6步才知道。

第6步：運用二階導數檢測。取二階導數之後，得到：

$$P'' = -2$$

所以

$$P''(33) = -2 < 0$$

負數是哭臉、嘴角下彎，因此是極大值。接著我們很快查看一下端點，也就是 x = 0 跟 x = 66，結果發現，兩處的函數值都等於 0，沒辦法跟 x = 33 的函數值較量。所以這個極大值就是最大值。因而，x = 33，而 y = 66 − 33 = 33。

第7步：寫下最後答案。叫人吃驚的是，非常多學生忘記這一步。

我們要找的兩個數就是：33 跟 33。

讀到這裡，你九成九又在胡思亂想，不過不用你說，我們也知道你在想什麼。你在想：這有啥了不起，哪兒需要這般費事？我用猜的也可以得到同樣的答案。如果你真是這麼想，那表示你很了不起，有超能力，可以在「通靈熱線」之類的節目輕易謀得一份電話諮詢工作。請注意，如果我們把題目稍稍改一下，同樣是找出兩個非負的實數，讓它們的和為 66，但乘積卻為最小值，那麼答案就會變成在定義域的端點，亦即 0 與 66。

此題到此結束，請繼續看下題。

例題　你正在北美五大湖之一，伊利湖（Lake Erie）上划著小船，船上載著你未來的小舅子。此刻，船的位置離湖岸 2 英里遠（假設湖岸是筆直的）。在離你最近的岸邊那一點沿岸 6 英里外，你看到了一

個流動廁所。就在這時，你突然覺得想上廁所。怎麼辦？現在已是九月，湖水冰冷，所以別想下水。更何況你的船上還有乘客（儘管他對你的「豪華遊艇」毫無好感），要是他不在場，你可以站在船尾，面對湖心，來個就地解決，不過那也得在天氣昏暗或湖面霧氣很重的時候才有可能，偏偏現在陽光普照，船上的一舉一動從岸上都看得一清二楚。更糟的是，岸邊全是房舍，屋主還都熟識你的爸媽，巴不得看你出洋相。

　　所以，你只能循規蹈矩，划到岸邊。好啦，你知道你划船的時速是2英里，而在陸地上跑的速率是每小時6英里（若在平日不須憋尿的情況下，還能跑得更快些），那麼，你應該對準岸邊的哪一點划過去，才可在最短的時間內趕到那個流動廁所？

　　瞧，我們前面不是告訴你微積分很有用嗎？從這個例題中，你就可以感受到，微積分的確跟許多切身問題有關，而且你真的會非常想知道答案！

第1步： 畫一幅圖，然後再設定變數；上一個例題不需畫圖，是因為沒有什麼東西值得畫。圖不用畫得很仔細，譬如你未來的小舅子，因為跟計算無關，就不必畫進去；岸上的風景也不必勾勒出來。你需要畫的只是一條直線，代表湖岸，並在離岸邊2英里處的湖面上畫一個小船，然後在下游6英里處畫出廁所就可以了。令 x 為你打算上岸的那一點跟離你最近的岸邊那點之間的距離，所以 $6 - x$ 就是你必須沿著岸邊跑完的剩下距離；如圖16.1所示。

第2步： 寫出欲求最小值的那個函數。利用畢氏定理（直角三角形

的斜邊平方等於其他兩股的平方和），你划船經過的距離應
該等於：

$$D_w = \sqrt{4 + x^2}$$

式子中的 w 代表水路，water。爲求出你花在划船上的時
間，我們可利用以下的關係式：

$$距離＝速率×時間$$

我們求的是時間，亦即：

$$時間＝距離÷速率$$

所以你花在划船上的時間就等於：

$$T_w = \frac{\sqrt{4 + x^2}}{2}$$

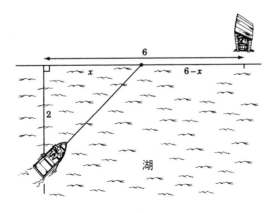

圖16.1　問題是：該從哪一點上岸？

另一方面,你得跑的距離是 6 − x 英里,而你的跑速為每小時 6 英里,所以你花在跑步上的時間是:

$$T_L = \frac{6-x}{6}$$

式子中的 L 代表陸地,land。因此,從你開始向岸邊划船到你跑到廁所,整個行程所花費的時間是:

$$T(x) = T_w + T_L = \frac{\sqrt{4+x^2}}{2} + \frac{6-x}{6}$$

請注意,假如你不管三七二十一,直接划到最近的岸邊上岸,然後跑完整個 6 英里的話,你得花上 T(0) = 2 小時。相反的,如果你壓根兒不想跑步,而是把船頭對準了流動廁所筆直划過去,也就是 x = 6,所以你會花 T(6) ≈ 3.16 小時。之所以要用微積分,是你極希望愈快到達廁所愈好!

第 3 步:寫下變數之間的關係式。在這個例題裡,我們只有一個變數,所以在這一步我們不須做任何事情,可以趁機休息兩秒鐘。滴答、滴答,好,時間到!進入下一步。

第 4 步:把變數減少為只剩下一個。這一步也做完了,可再多休息兩秒鐘,然後進入下一步。

第 5 步:找出臨界點。先取導數:

$$T(x) = \frac{(4+x^2)^{1/2}}{2} + \frac{6-x}{6}$$

$$T'(x) = \left(\frac{1}{2}\right)\frac{(4 + x^2)^{-1/2}}{2}2x - \frac{1}{6}$$

令它等於0：

$$\frac{(4 + x^2)^{-1/2}2x}{4} - \frac{1}{6} = 0$$

然後解x：

$$\frac{x}{2(4 + x^2)^{1/2}} = \frac{1}{6}$$

$$6x = 2(4 + x^2)^{1/2}$$

$$3x = (4 + x^2)^{1/2}$$

$$9x^2 = 4 + x^2$$

$$8x^2 = 4$$

$$x^2 = \frac{1}{2}$$

$$x = \frac{1}{\sqrt{2}} \approx 0.707 \text{ 英里}$$

第6及第7步：檢驗並確定它是最小值，最後把答案寫出來。

請注意，在 x = 0 跟 x = 6 之間只有一個臨界點，我們認為它應該就是我們在尋找的極小值。當然，我們可以取二階導數去察明它是還不是，但是在這個情況下實在無此必要，為什麼呢？因為我們已經知道，在 x = 0 跟 x = 6 這兩個端點的函數值，而且也知道 x = 1/√2 代入後得到的總時間，會比 T(0) 跟 T(6) 都來得少，算式如下：

$$T\left(\frac{1}{\sqrt{2}}\right) = \frac{\sqrt{4 + (1/\sqrt{2})^2}}{2} + \frac{6 - 1/\sqrt{2}}{2}$$

如果你耐住性子把結果計算出來，就會得到：

$$T\left(\frac{1}{\sqrt{2}}\right) \approx 1.94 \text{ 小時}$$

它比2小時跟3.16小時都短，所以沒問題，果然就是我們要的極小值。只是對憋尿時間來說，仍然太久了點，在此只有祝你一路憋尿順利了。有了這次經驗，希望你以後能事先準備得好一些。

例題　北堪薩斯大學正要建造一條新的跑道供學生使用，運動場的設計是將兩個半圓連接在一個長方形的兩端，而跑道就沿著整個區

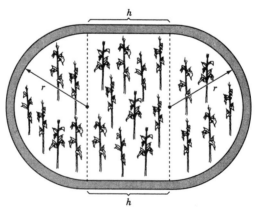

圖16.2　繞著玉米田跑。

域的周邊建造，如圖16.2所示。只不過由於經費緊縮，學校當局決定利用跑道中間的場地來種玉米。如果跑道的全長一定得是440碼，試判定能夠使玉米種植面積最大的跑道用地所需的尺寸。

第1步：畫圖。我們已經替你畫好了。瞧，我們一直站在你這邊。

第2步：寫出待會欲求最大值的函數。由於題目要你讓跑道中間那塊地的面積為最大，因而你需要把那塊地的面積函數A，用圓半徑r跟長方形寬h表示出來。事實上，面積A就等於兩個半圓的面積（各等於$\pi r^2/2$）及中間的長方形面積（等於2rh）的和，即：

$$A = \pi r^2 + 2rh$$

第3步：寫下所有變數之間的關係式。題目裡面就有：我們看到跑道長度為440碼，這也就告訴我們r跟h之間的關係，因為跑道是由兩截半圓（加起來等於一整個圓，總長為$2\pi r$）再加上上下兩截直線跑道的長度（每一截均等於長方形寬h，故總長2h），即：

$$440 = 2\pi r + 2h$$

第4步：把函數中的變數減少到一個。從上面的方程式，取h：

$$h = 220 - \pi r$$

把此式子代入前面的函數A，使它變成僅含變數r的函數：

$$A = \pi r^2 + 2r(220 - \pi r)$$

所以，

$$A(r) = 440r - \pi r^2$$

第5步：取其導數，並令導數為0。

$$A'(r) = 440 - 2\pi r$$

令它等於0：

$$440 - 2\pi r = 0$$

$$r = \frac{220}{\pi}$$

第6步：利用二階導數檢測。

$$A''(r) = -2\pi$$

從這兒我們看到，無論你用什麼r值，A″都為負值。記得吧？負值是哭臉，嘴角下彎，所以我們找到的一定是極大值。假如你仍然不放心，你可以去檢查頭尾兩端點。

第7步：回答問題。這個題目是個非常好的示範，可以告訴你為何最後一步非常重要。因為做到目前為止，你搞不好並未領會到出題教授所問的關鍵句子。這個題目是問：「田徑場的尺寸為何？」但至目前為止，我們只把r計算出來，卻忽略了h，所以我們還需要答出來，當A面積最大時，h是多少。這個容易，由於：

$$h = 220 - \pi r$$

所以

$$h = 220 - \pi\left(\frac{220}{\pi}\right) = 0$$

換句話說，你應該大聲回答：這個跑道必須是圓的！真是太神奇了，傑克，完全跟我們熟悉的跑道形狀大異其趣！（不管你個人對跑道形狀的好惡如何，要記住，你無論如何都得寫下 r 跟 h 兩個值，最好把它們圈起來——可能的話，用顯眼的紫色筆最好啦。）

經過了上面三個由淺入深的例題之後，我們對最大、最小值問題，應該變得相當得心應手了才對，所以就不必把每一步驟一一寫出來。現在讓我們回過頭去，試著解那個老掉牙的豬圈問題。

例題（豬圈問題）　如果有位農夫手邊有 100 英尺長的圍欄，他想圍出一個長方形的豬圈來，該豬圈的其中一邊可利用農場上現成的一長條籬笆。為了讓豬圈的面積最大，它的長寬應該各是多少？

現在呢，別為小豬抓狂，這些豬跟解題無關，你得想辦法把注意力集中在解題上，別管豬長得是啥樣子，重點是豬圈，要畫的也是豬圈。一劃、兩劃、再一劃，豬圈就畫好了，見次頁圖 16.3。

豬圈的面積為 $A(x) = x\left(\frac{100-x}{2}\right) = \left(\frac{100x - x^2}{2}\right)$，而由於我們只有 100 英尺圍欄可以使用，所以 x 落在閉區間 [0, 100] 內。取函數 $A(x)$ 的導數之後，就得到 $A'(x) = \left(\frac{100-2x}{2}\right) = 50 - x$。

圖16.3　豬圈

　　設 A′(x) = 0，得到50 – x = 0，故 x = 50。在兩端點，即 x = 0 跟 x = 100 兩處，豬圈的面積都等於0，但在 x = 50，豬圈面積為1250 平方英尺，所以 x = 50 一定就是我們要找的 x 值。又，取二階導數之後得到 A″(x) = –1，再度證明這是一個局部極大值。最後，我們還得加上一句：「能使豬圈面積最大的尺寸是50英尺×25英尺」，才算大功告成。

　　那麼其他類型的問題呢？譬如下列這個眾所周知的紙盒問題：把一張長方形硬紙板（尺寸固定，譬如5英尺×8英尺）的四個角，各剪去同樣大小的正方形塊，然後把剩下的部分折成一個上方有開口的紙盒。如果剪去的正方形邊長為 x，請問 x 等於若干時，折成的紙盒會有最大的容積？這是個最最經典的題目，你可以自己在家裡練習練習。

獲致最大利潤的各種問題

最後一類常見的問題就是生意問題。嘿！在這兒你就別假裝一副毫不在乎的樣子，少來這套表裡不一的把戲。老實說，發財夢就是驅使我們人類有所作爲的絕大部分原動力，當然除此之外，還有性、饑餓、愛情及電視等等，但唯有銀子，才是眞正能塡飽肚子的正餐主食。

你瞧，現在你都快讀完大半本書啦，我們卻還沒有告訴你如何賺得堆積如山的大量銀子。到底什麼時候我們才會說明，該怎麼讓你富有得開始擔心自己捐錢捐到手痠？你盼望的日子終於來到了，下面就是啦！讓我們一起來發財！

例題（利用人性弱點之獲利問題） 你剛發明了一種以花生醬爲主的墨西哥食物新沾醬，於是就在學生活動中心前面擺了個小攤子，販賣這種黏不里幾的玩意兒。不知怎的，傳出了一個謠言（謠言的來源當然追查不到你老兄的頭上），說這種沾醬有春藥的功效，於是銷售量節節高升。等銷售情況漸趨穩定之後，你發現以每罐賣 1 美元的價錢，每天能賣掉 500 罐；如果價格每提高 5 美分錢，每天就會少賣掉 2 罐。另外再假設你每天有筆固定開銷（保護費）200 美元，而你的成本是每罐 50 分錢。試計算：若要獲得最大利潤，你應該把售價訂爲多少？

由於你已經知道如何解決掉這種問題，我們在這兒就只討論如何把問題設計建立起來。既然利潤是關鍵，我們就設函數 P(x) 爲你每天的利潤，其中的 x 是你所訂的每罐售價，另外再設 y 是每日的銷

售罐數。依題意,可知y隨著價格x在變,x每增加1元,y就減少40罐,因此在售價x時的每日銷量y,可寫成下列方程式:

$$y = 500 - 40\,(x - 1)$$
$$= 540 - 40x$$

你的每日利潤應該等於日收入減去同日的成本;收入就是xy,而成本等於200 + 0.5y,所以利潤就是:

$$P(x) = xy - (200 + 0.5y)$$
$$= (x - 0.5)y - 200$$

把關係式y = 540 – 40x代入上式,我們得到:

$$P(x) = (x - 0.5)\,(540 - 40x) - 200$$

好了,從這兒之後的步驟就交給你啦,由你去求P'(x)、令它為0,然後先找出臨界點,再找出最佳價格。賺到大錢之路就不遠啦!

第 *17* 章

隱微分法：
咱們就拐彎抹角吧

假設你的老闆對你說：「我受夠了你的爛能力跟不稱職，無論什麼工作交給了你，你都能把它搞砸！現在整個公司已經到了破產邊緣，就是承蒙你老兄所賜。現在去把你的辦公桌清乾淨，別讓我再看到你的臉！」

聽老闆這麼一說，你可能還想硬拗說他並沒有明白告訴你：「你被開除了！」不錯，他的確沒有，但他話裡的涵義已經非常明顯了：他等於已經下了命令叫你捲鋪蓋走路啦。

同樣的，方程式也可能有隱而不顯的涵義，譬如：

$$y + x^2 - 3 = 0$$

　　它其實是在把y描述成一個x的函數，只是表示得不那麼一清二楚罷了。至於清楚的表示法，只須把x² − 3搬到等號的另一邊就成了，也就是y = −x² + 3。

　　更廣義的說，任何一個方程式都可能是把y表示成x的隱函數，甚至當我們沒辦法把y單獨拿出來放在等號的一邊時，也不例外。我們舉個例子：

$$y^5 + y + x^7 + 2x = 0$$

　　上式一樣可以把y看成是x的函數，雖然我們不太可能把它寫成y = f(x)的形式；這時，如果已知x為某個值，我們就可以代入此方程式，解出相對應的y值，這樣就能看出y跟x的對應關係。

　　由於我們可以用一個其中有x跟y的方程式，把y定義為x的隱函數，因而我們也希望能微分這種隱函數。但又因為無法明確知道y到底是怎麼樣的函數，因此我們只得把整個方程式對x微分。在進行微分時，我們用同樣的辦法去處理x，但是會把y想成是x的函數，最後得到的導數，將特別寫成 $\frac{dy}{dx}$。

例題　下列方程式把y定義為一個x的隱函數，試求$\frac{dy}{dx}$。

$$y^2 + xy + 3x = 9$$

　　我們的解法是把這個方程式對x微分，而將y看成x的函數。於是得到：

$$2y\frac{dy}{dx} + 1 \cdot y + x \cdot \frac{dy}{dx} + 3 = 0$$

特別注意：當我們微分 y^2 這一項時，需用到前面講過的鏈鎖律，這樣就會得到 $2y\dfrac{dy}{dx}$。而在微分 xy 項時，則利用積法則，就可得到 $1 \cdot y + x \cdot \dfrac{dy}{dx}$。

接下來，我們就用上面的方程式求解 $\dfrac{dy}{dx}$：

$$2y\frac{dy}{dx} + x \cdot \frac{dy}{dx} = -y - 3$$

$$(2y + x)\,\frac{dy}{dx} = -y - 3$$

$$\frac{dy}{dx} = \frac{-y - 3}{2y + x}$$

喏！這就是此題的答案 $\dfrac{dy}{dx}$ 啦。

現在，我們還有一點最後的工作得做，也就是要實際算出函數曲線上給定一點的斜率。在這兒我們不僅要把 x 值代進去，還得同時把 y 值也一併代入才行。譬如說，我們要找出曲線上一點 (2, 1) 的導數 $\dfrac{dy}{dx}$，就得把 x 與 y 均代入，得到：

$$\frac{dy}{dx}(2, 1) = \frac{-1 - 3}{2 \cdot 1 + 2} = \frac{-4}{4} = -1$$

第 *18* 章

相關變率：
你變、我跟著變

　　沒錯，這類題目有時眞的很難纏，許多學生一聽到相關變率問題就嚇得半死，爲什麼呢？也許因爲它們是「文字題」，一般學生基本上就是不喜歡文字題，因爲要把文字敘述轉變成數學式子，對許多人來說是一項不可能的任務。這就好像在他們的腦袋裡，掌管這兩門科目的部分不能互相溝通，當他們聽到文字題的時候，主管數學的那個腦部就當機了。

　　實際上，相關變率問題並非那麼糟糕，這類問題總共不過分爲三大類。在此章，我們將逐一剖析。

　　首先我們要問：到底什麼是相關變率（related rates）問題？原則上，這種問題裡面會有一條方程式涉及兩個或兩個以上、隨著時

間而變化的東西或函數，而我們打算找出其中一個函數在某一個時間點上的導數。

　　且讓我們看一個非常無聊但簡單易懂的例子。

例題　假設 x 跟 y 都會跟著 t（可代表時間）而變化，而且不管 t 是何值，x 跟 y 都滿足一個關係式：sin x + cos y = 1。假設你現在的首要任務是找出當 x = π/6、y = π/3 且 dx/dt = 2 時的 dy/dt。

　　在這類型的問題中，我們一定少不了會看到一些與其他量（在此例題中，就是 x、y 跟 dx/dt）有關的訊息，我們稱之為特殊訊息。

　　解題時，我們只需要把包含了 x 跟 y 的整個方程式，用上一章討論過的隱微分法對 t 微分。有一點得特別記住：既然是對 t 微分，我們就必須把 x 跟 y 都當作 t 的函數來處理：

$$\sin x + \cos y = 1$$

$$\cos x \, \frac{dx}{dt} - \sin y \, \frac{dy}{dt} = 0$$

微分之後，再把題目所給的特殊訊息，一一代進前面的關係式裡，於是得到：

$$\left(\cos \frac{\pi}{6} \right) 2 - \left(\sin \frac{\pi}{3} \right) \frac{dy}{dt} = 0$$

$$\frac{\sqrt{3}}{2}(2) - \frac{\sqrt{3}}{2} \frac{dy}{dt} = 0$$

經過計算、化簡之後，就可以解出 $\frac{dy}{dt} = 2$。

有夠簡單吧？嚴格說來，這還算不上是個文字題，所以我們用不著從文字敘述裡額外找線索，把題目化成方程式。其實這類題目讓人覺得棘手的地方，就是一開始的這道工作，因此一旦你把文字轉換成適當的數學方程式之後，就一點也不難啦。

下面是我們解相關變率問題的步驟，這套方法非常有效，除了可以解微積分問題之外，還可以用來燉煮雞湯呢。

相關變率問題之解法兼雞湯烹飪法

第1步：仔細閱讀題目。嘿！我們可不是在開玩笑，你也許不相信，居然會有這等糊塗學生，但事實上，的確有許多人把這一步省略掉！

　　製作雞湯的第1步：詳讀雞湯罐頭上的說明。同樣的，許多人也會跳過這一步，對此你可能不大相信。要知道，湯罐的製造廠商，為了撰寫罐頭上花不到十秒鐘就可以讀完的三行說明文字，付了數百萬美金給一個包括知名大廚、大學畢業生，及行銷研究人員的專家團隊，結果幾乎沒有任何消費者會去讀它，你說冤不冤？

第2步：拿筆來畫一張圖，圖裡要表示出題意。請注意，所畫的圖只需把題意顧到即可，用不著花時間去計較細節。畫好之後，替所有相關的量取一個名稱或符號。

　　製作雞湯的第2步：拿個平底鍋，把罐頭裡的濃稠湯料倒進鍋內。如果不小心全倒在地板上了，沒關係，把地板清理乾淨，再拿出一罐，重新做起。

第3步：根據你畫的圖，在你剛命名過的變數之間找出一般式。

　　　　　製作雞湯的第3步：把平底鍋放在爐子上，找一找該開哪一個電爐（或瓦斯爐）開關；複雜一些的爐子會有三、四個開關，甚至外加烤箱開關、計時開關等等，通常這種比較複雜的爐子上都會有一個簡圖，你可以按圖索驥，找到正確的開關。

第4步：一一找出你所需要的特殊訊息，寫下來，並畫個長方形框框，注明是「特殊訊息」。此外，在同一個框框內加上你想要知道的量（這回是某個變數的導數）跟一個「？」號。

　　　　　製作雞湯的第4步：轉動平底鍋所在的爐子開關。

第5步：把關係式對時間做隱微分；得到的式子裡面會含有至少兩個導數。

　　　　　製作雞湯的第5步：根據指定的火候時間，加熱雞湯。

第6步：把特殊訊息一一代入微分後得到的式子裡（這一步必須在第5步完成之後才能著手！），然後解出所求的未知量。

　　　　　製作雞湯的第6步：如果在你開啟了開關數分鐘之後，鍋子尚未發熱，表示你得插電。不過，如果你聞到瓦斯味，表示你用的不是電爐，這時就別管插不插電了，趕緊奪門逃命去吧。

第7步：寫下你的答案，並且用紫色的筆圈起來。然後不妨去喝點雞湯，這對答案不會有什麼不良影響。

　　　　　製作雞湯的第7步：你說你已經喝過了？怎麼可能？你是不是不喜歡喝雞湯？

∀

好啦，讓我們按照這些步驟來試解一題吧。首先，也許我們該瞧瞧這類問題中最普遍的一個類型，稱為「相似三角形相關變率問題」。

例題（大腳野人問題）　北美傳說中的「大腳」野人（Bigfoot）在夜間走出了山林，不知不覺晃蕩到了西雅圖的大街上。這位老兄全身毛茸茸的，體重高達441磅，身高整整8英尺，在昏暗的街燈下，貌似身材特大號、一身齷齪不堪的搖滾歌手。這是他第一次來到這麼一座大城市。有一盞路燈引起了他的注意，他以每秒2英尺的速率朝著路燈的方向走去。假設那盞燈的高度是12英尺，那麼當「大腳」走到離路燈底座6英尺遠的時候，他在地上的影子長度的變化率是多少？

好啦好啦！趁你還沒冒火之前，我們先坦承我們自己也不太清楚幹嘛要解這麼奇怪的問題。究竟是誰的腦筋出了毛病，居然關心起「大腳」野人的影子變得有多快？尤其是這個題目暗示了，再過幾秒鐘，這個毛手毛腳的大傢伙就要摧毀那附近唯一的一盞路燈了，而且天色早暗了，他的破壞舉動無疑會讓四周陷入一片黑暗，變成他打獵的理想環境，而我們卻仍舊呆站在離他不遠的街角，手裡拿著計算簿跟鉛筆，心無旁騖的計算他的影子長度嗎？好問題！

但是，這就是數學，沒有人說數學例題一定要切合現實，此其一。正由於例題的荒誕不經，才可以讓學生印象更為深刻，而更具教學效果，此其二。還有，你總聽過潛能吧？只要你熟練了這類題目，在危急時就有辦法在一兩秒鐘之內，想出解法，算出答案，然後趁「大腳」還沒打破路燈之前，趕快逃離此地。

這樣的解釋你還算滿意嗎？我們現在就開始一步步解題吧。

第1步：把問題好好閱讀一遍；可能的話，多讀幾遍也無妨。請注意，不是所有的訊息都跟解題相干，譬如「大腳」的體重。

第2步：畫一個如圖18.1所示的圖；用不著把大腳野人的身材相貌都描繪出來，不過要是有足夠的時間，你愛怎麼畫就怎麼畫。請記住，此圖應該要能夠代表一般情況：無論在何時，大腳的身高都維持在8英尺，而路燈離地高度是12英尺，所以我們可以把這兩個數字標示在圖上。

那麼在一般情況下，變動的部分又是什麼呢？這個嘛，題目已明白告訴我們，大腳正走向路燈，意指大腳跟燈柱底座之間的距離在變。好啦，我們把這段在變化的距離設為 x。至於應該從大腳身上的哪一點，去度量這段距

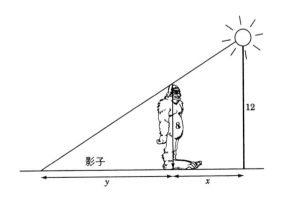

圖18.1　號外！大腳野人發現了電。

離，就別問了。

　　當然，我們有興趣的是影子，所以不妨把影子的長度設為y。吹毛求疵的人也許會問，圖上的其他部分呢？要不要也設幾個變數呢？實際上是，不用，因為這對我們的計算過程毫無影響，多一個變數只會混淆視聽。還有，要記住，我們現在是分秒必爭，情況危急，豈能把寶貴的時間浪費在不重要的芝麻綠豆上呀？

第3步：找出變數間的一般式。在此例中，我們注意到有兩個直角三角形，其中一個以y（影子）為底邊，其高為8英尺（大腳的身高）；另一個則以 x + y（從影子最遠點到燈柱底座的距離）為底邊，其高為12英尺（燈柱的高度）。這兩個三角形互為相似三角形，因為兩者的三個角全相等，所以對應的邊的比率也應該相等：

$$\frac{8}{y} = \frac{12}{x + y}$$

$$8(x + y) = 12y$$

$$8x = 4y$$

$$2x = y$$

第4步：寫下特殊訊息。依據題意，我們想知道：當這位喜馬拉雅山雪人的遠親走到離燈柱6英尺時（亦即x = 6時），影子長度（即y）的變化率，也就是y的導數。用數學說法就是，我們想知道dy/dt在x = 6時的值。又因為題目說大腳正以每秒2英尺的速率朝著燈柱走去，所以我們知道dx/dt = –2。別忘了在長方框內注明「特殊訊息」字樣。

$$\text{特殊訊息：} x = 6, \frac{dx}{dt} = -2, \frac{dy}{dt} = ?$$

第5步：用隱微分法，去微分第3步得到的一般式。

$$2\frac{dx}{dt} = \frac{dy}{dt}$$

這個隱微分眞是超簡單！

第6步：把特殊訊息代入。

$$2(-2) = \frac{dy}{dt}$$

所以dy/dt = −4。本題的答案就是：當大腳距離燈柱底座6英尺遠時，他的影子正以每秒4英尺的速率縮短。

第7步：用紫色的筆把答案圈起來。

接著讓我們瞧瞧另一類型的相關變率問題：這類問題牽涉到把某樣物質放進一個容器或是從容器中取出來，我們想知道在此放或取的過程中，容器內物質的體積變化，跟其他如高度或半徑等量之間的關係。我們把這類問題取名爲「酒桶問題」。

例題（酒桶問題）　假設住在山林裡的寧芙女神和半人半獸的森林之神，以祝賀酒神爲藉口，開了一個瘋狂派對。他們用一個特大號的倒立圓錐形酒桶盛酒，錐尖處有個龍頭開關，且酒桶深12英尺，

圖18.2　飲酒作樂的寧芙女神跟森林之神

頂端半徑為6英尺。如果我們假設整個派對的總耗酒量很平均，每小時喝掉6立方英尺，那麼請問：當桶內美酒的深度只剩4英尺時，該深度的變化率為若干？

第1步：仔細閱讀問題。假設你剛剛閱讀完畢。

第2步：畫一個圓錐形酒桶的簡圖（如圖18.2）。正在飲酒作樂的寧芙女神跟森林之神，可畫可不畫。至於整個酒桶的高度跟半徑，由於在問題中維持不變，所以可以在圖上標明。派對進行時，桶中酒的深度以及存酒表面的半徑，會隨著時間而變化，所以不妨分別設成變數h（代表高度）跟r，這些就是我們需標出的全部變數了。

第 3 步：找出變數之間的一般式。這部分有點難。由於目的是要找出體積變化跟酒深變化之間的關係，所以我們需要一個體積跟深度的關係式，但是圖上壓根兒沒提到體積。

幸好，我們在高中學過，圓錐的體積 V 有一個公式，那就是 $V = \pi r^2 h/3$（這非常好記：圓錐體積等於高為 h、底圓半徑為 r 之圓柱體體積的三分之一）。

不巧的是，這個方程式裡面有兩個變數，即 r 跟 h，而不是只有 h。不過這點容易解決，依據我們所畫的圖，可看出 r 跟 h 之間有個很漂亮的關係，可用來去掉其中的 r。

怎麼說呢？跟大腳野人例題一樣，你可以注意到圖 18.2 裡也有一對相似三角形，因而 r/h = 6/12，故 r = h/2。我們再把這個結果，代入上面的體積一般式，就會得到：

$$V = \pi \left(\frac{h}{2} \right)^2 \frac{h}{3}$$

$$= \frac{\pi h^3}{12}$$

這就是我們要找的一般式。

第 4 步：寫下我們有興趣的那個時間點上的特殊訊息。換句話說，我們想知道在 h = 4 時的 dh/dt。依照題意，酒的消耗速率一直維持在每小時 6 立方英尺，亦即 dV/dt = –6（負值表示桶內的存酒體積在減少）。

$$\boxed{\text{特殊訊息：} h = 4, \ \frac{dV}{dt} = -6, \ \frac{dh}{dt} = ?}$$

第 5 步：我們把第 3 步得到的一般式隱微分，就得到：

$$\frac{dV}{dt} = \pi \frac{3h^2}{12} \frac{dh}{dt}$$

（此處我們用的是鏈鎖律。）化簡後可得到：

$$\frac{dV}{dt} = \pi \frac{h^2}{4} \frac{dh}{dt}$$

第6步：把特殊訊息代入上式，並解dh/dt。

$$-6 = \pi \frac{4^2}{4} \frac{dh}{dt}$$

$$\frac{dh}{dt} = \frac{-3}{2\pi} \approx -0.477 \quad 英尺／小時$$

所以在我們指定的那一刻，酒桶內的酒平面正以略少於每
小時半英尺的速率下降。只不過從這個數字裡，我們無法
看出，究竟哪個人喝得比別人多……

最後一個類型的相關變率問題，叫做「畢氏定理型問題」。

例題（跟踪幽浮） 　電視節目「非自然經驗與叫人作嘔的外星人」
宣稱他們拍攝到一架定速飛過頭頂的幽浮，在拍攝時該幽浮離地高
度保持3英里。他們還宣稱，他們是在幽浮已經越過了頭頂上空，又
水平飛行了4英里之後，才用照相機捕捉下這個畫面的（相片裡面的
幽浮看起來像極了一根非常模糊的雪茄，包括雪茄上的商標都若隱

若現）。他們又說，在拍攝相片的同時，雷達測速器的讀數顯示幽浮跟照相者之間的距離，正以每小時384英里的速率在增加。請問當時那幽浮或雪茄的飛行時速爲多少？

第1步：對啦！先熟讀問題。

第2步：畫圖（如圖18.3）。我們不妨標明幽浮離照相者之水平距離爲x，而兩者之實際距離爲h。儘量不要把x設定爲快門按下的當時的水平距離。爲什麼呢？請記住，這個圖必須代表一般的情況，而不要設定在任何一個特定時刻。

第3步：找出一般式。對此，我們得感謝畢達哥拉斯這位古希臘人，誰也沒想到這位身上僅裹著一張床單的人物，居然能夠把直角三角形的三邊關係搞清楚！由於圖裡面有個直角三角形，根據畢氏定理，我們知道 $3^2 + x^2 = h^2$。

第4步：決定出在我們有興趣的那個時刻，也就是按下快門照相的那一刻的特殊訊息。題目告訴我們，在那一刻，x = 4。把這個x值代入上面的一般式，就可以算出同一時刻的h值：

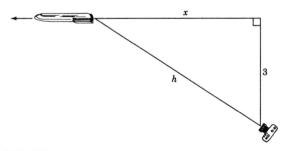

圖18.3　拍攝幽浮

$$3^2 + 4^2 = h^2$$

所以 $25 = h^2$，即 $h = 5$。我們從題目裡，還得知當時 h 的變化率，也就是 $dh/dt = 384$。綜合以上所知，我們就得到：

特殊訊息： $x = 4$, $h = 5$, $\dfrac{dh}{dt} = 384$, $\dfrac{dx}{dt} = ?$

第5步：把一般式 $9 + x^2 = h^2$ 隱微分，得到

$$2x\frac{dx}{dt} = 2h\frac{dh}{dt}$$

$$x\frac{dx}{dt} = h\frac{dh}{dt}$$

第6步：把特殊訊息代入上式，就得到：

$$4\frac{dx}{dt} = 5(384)$$

$$\frac{dx}{dt} = \frac{5(384)}{4} = 480 \text{ 英里／小時}$$

哇塞！這根廉價雪茄可飛得真夠快呀！

附記：許多科學家指出，幽浮外殼上不太可能會印有 El Corona 字樣，因而他們要求跟拍照的人談談。面對此項要求，該節目製作人的回應是，外星人對隱私被侵犯非常不爽，因此採取了報復措施，已經把照相者變成一攤狗仔醬啦！這場第三類「幾乎」接觸的鬧劇就這樣草草落幕了。

　　絕大多數的相關變率問題，都可以歸類到上述三種類型裡面。

第 *19* 章

求近似值：評估你的揚名立萬之路

　　能夠快速做出各種評估，是你在這世界上能夠成功的重要法門之一。譬如你在開車，看到油表的指針指到底了，這時你就得馬上估計你在汽油耗光之前，還可以開多遠。又如在你搭電梯的時候，當電梯門一開，你得一眼就瞧出，你站進去之後是否會超重。還有就是，假若你在微積分課堂上結識的新朋友開口約你，說是要同你到墾丁來個二日遊，這時你也得在極短的時間內做個評估，決定你們兩人速配不速配。

　　同樣的，在你做數學問題時，經常會需要估計一些函數在實際值未知的點的函數值。事實上，這種函數幾乎是到處充斥，而且有許多函數在大部分的點的函數值，十分難以計算。讓我們隨便舉出

一、兩個簡單例子：比如$\sqrt{4.1}$或者$\sin(44°)$，你能否直接心算出它們的值是多少？算不出來吧？別覺得難過，我們這些吃數學飯的教授一樣不知道！

　　當然，如果手邊有電算機，我們只消在鍵盤上按幾下，頓時就能夠得到有八位小數的答案，讓你不由得拍案驚嘆電算機的能耐。你可能以為，電算機是把所有初等函數的值全背了下來，所以才能這麼快速的給出答案來。但是試想，你得把多少個x值輸進電算機裡去？少說也有好幾個數十億吧，而電算機的記憶體相當有限，根本不可能儲存這麼多個$\sqrt{x}$跟$\sin x$的值！

　　相反的，電算機另有一套系統，可用估計的方法把每個答案計算出來。這是怎麼回事呢？其實，在你把問題的要求鍵入之後，電算機就開始了一連串運算，計算出一個估計值，然後再確保這個估計值精確到小數點後第八位。

　　現在我們就用$\sqrt{4.1}$為例，來瞧一瞧這套估計法。我們首先會注意到，在4.1的附近不遠處有個很特別的x值，每個人都知道它的$\sqrt{x}$等於多少，那就是$\sqrt{4} = 2$。我們不妨把2當作第一個估計值。但是這個估計值唬不了人，我們勢必要稍加調整，使得此估計值更接近$\sqrt{4.1}$的實際值。讓我們看看次頁圖19.1。

　　圖19.1表示當 x = 4 的時候，函數 f(x) = $\sqrt{x}$的值剛好等於2，而當 x = 4.1 時，函數值顯然比2稍微大一點。那麼究竟大多少呢？我們可以取在 x = 4 那一點上的切線，然後把它延長到 x = 4.1 處。由於這條切線在 x = 4 附近，跟 f(x) = $\sqrt{x}$的原曲線相當接近，因此我們可以把該切線從 x = 4 到 x = 4.1 所新增的高度，加到第一估計值2上，這樣就能得到更接近 f(4.1) 實際值的逼近值啦！

　　那麼，新增的高度又是多少呢？我們已經有一條帶有斜率的直

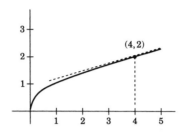

圖19.1　平方根函數

線，也知道了x的變化量，也就是0.1，因此我們可得知y的變化量；三者的關係如下：

$$\frac{y\text{的變化量}}{x\text{的變化量}} = \text{斜率}$$

那麼這條切線的斜率又是多少呢？當然就是f(x) = $\sqrt{x}$在x = 4的導數嘛。因而：

$$f'(x) = \frac{1}{2x^{1/2}}$$

$$f'(4) = \frac{1}{4}$$

所以，當我們沿著該切線從x = 4移動到x = 4.1時，高度變化就等於 (0.1)(1/4) = 0.025。也就是說，我們估計$\sqrt{4.1}$的值約為2 + 0.025 = 2.025。如果你去拿一個電算機來實地印證一下，$\sqrt{4.1}$求到小數點後第四位的答案會是2.0248。哇塞！跟我們新得到的逼近值非常接近。在今天的某些國家裡，這樣的精確程度堪稱奇蹟呢！

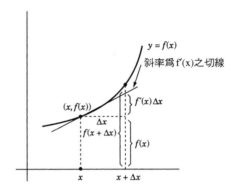

圖 19.2   逼近 f(x + Δx)

現在讓我們來瞧瞧一般的逼近問題。假設我們知道函數 y = f(x) 在某一點 x 的值，但是我們卻對 x 附近的另外一點 x + Δx 的函數值非常有興趣。我們可以把這個 Δx 想成一個非常小的量，就像前面例題裡的 0.1，於是我們要找的就是函數 f 在 x + Δx 的近似值，也就是 f(x + Δx) 的近似值。

在點 x，我們知道它的函數值為 f(x)，我們假設此值為一可求得的量。這個逼近法的關鍵，就是要在 y = f(x) 的圖形曲線上，畫一條通過點 (x, f(x)) 的切線（見圖 19.2）。由於該切線的斜率是 f'(x)，所以我們需要加在 f(x) 上的高度，應該就是切線斜率乘上 x 的變化量，也就是 f'(x) Δx。

把以上的敘述綜合起來寫成數學式，就成了：

$$f(x + \Delta x) \approx f(x) + f'(x)\,\Delta x$$

利用這個短短的公式，你就可以逼近函數 f(x) 在各個點上之近似值。

　　練熟了這個逼近法之後，你倒是可以拿它來跟人搭訕呢！試想你在一個派對場合裡，一眼瞧見大廳對面人堆中，有位衣著光鮮的帥哥。於是你裝作沒事人兒一樣，不著痕跡的跟他擦身而過，接著趁機衝他一笑，不經意的問他：「你可知道 sin(44°) 等於多少？」這位帥哥聽你這麼一問，馬上從口袋裡掏出一個小電算機，但是很不湊巧，竟發現電池耗光啦，於是一臉尷尬。這時，你反而安慰他說：「別在意！容我向你借枝鉛筆跟一張紙巾吧，讓小女子我幫你解圍。」

例題　求 sin (44°) 的近似值。

　　我們的函數是 f(x) = sin x，所以 f′(x) = cos x。雖然我們不知道在 44° 的 sin x 是多少，但是我們知道 sin (45°) = $\sqrt{2}/2$。所以我們可以把第一個近似值設定為 x = 45°，而 Δx = −1°。

　　這兒有個非常重要的注意事項，那就是只要涉及微積分計算，角度的單位一定得用弧度，而不是度。如果一用度，三角函數的導數就會出岔。所以在進入計算之前，我們必須把 45° 變成 $\pi/4$，把 −1° 變成 −$\pi/180$。

　　於是乎，我們就可得到：

$$\sin(44°) = f(x + \Delta x) \approx f(x) + f'(x)\,\Delta x$$

$$= \sin\left(\frac{\pi}{4}\right) + \cos\left(\frac{\pi}{4}\right)\left(-\frac{\pi}{180}\right)$$

$$= \frac{\sqrt{2}}{2} + \frac{\sqrt{2}}{2}\left(-\frac{\pi}{180}\right) = 0.694765$$

　　這個近似值到底有多近似呢？隨便拿個電算機來輸入 sin (44°) 之後，螢幕上出現的答案是 0.69465837，由此可以看出，我們求出的近似值精確到小數點後的第三位，真是非常了不起！

　　如果你臉不紅、氣不喘的一連做出了好幾個近似值，保證你那位帥哥朋友以後就會像隻哈八狗似的，跟在你的身邊啦！當然，用不到一個星期的交往，你就會了解：以貌取人，將好比你浪費許多寶貴的時間，去討論「流星花園」的劇情。

第 *20* 章

中間值定理
與均值定理

20.1 中間值定理：麵包中間沒夾東西就不叫三明治

好啦！這個定理聽起來沒什麼學問，不過你若是不欣賞這個說法，不理會它也不要緊。定理名稱裡的「中間」就講得夠清楚了，意思就是，中間一定會有其他的值。

讓我們舉個例子來說明。假設你 15 歲時體重為 120 磅，現在你是 45 歲，體重已經到達 250 磅。（在這個例子，最好就別畫圖了，免得畫出來的體形有礙觀瞻！）那麼在這三十年間，一定有一段時刻你的體重是 200 磅，對吧？道理很簡單，不管你的體重如何變化，從 120 磅變成 250 磅的過程中，絕對躲不了跨越 200 磅的這一關。或

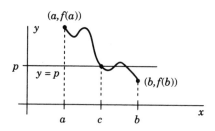

圖20.1　此函數圖形必會跨越 y = p 這條直線至少一次。

許你還能清楚記得，那一塊害你衝破200磅大關的巧克力蛋糕？不管怎麼說，中間值定理（intermediate value theorem）講的就是這個。

若以數學的說法則是，如果在 [a, b] 區間上有一個連續函數 f，且 p 是介於 f(a) 跟 f(b) 之間的任何一個函數值，則在 [a, b] 區間上必然存在一個數 c，使得 f(c) = p（在我們所舉的例子中，此連續函數就是隨著年齡在變化的體重，而你的年齡就落在閉區間 [15, 45] 上，另外我們取了 p = 200，為介於120及250之間的一個值，因此在你從15歲到45歲之間，一定有一個時刻的體重剛好等於200磅）。

從函數圖形來看（見圖20.1），這個定理就是說，若函數 f 在區間 [a, b] 上為連續，而 p 為 f(a) 跟 f(b) 之間的一個值，則高度為 y = p 的水平線，一定會在 x 座標為 a 跟 b 的範圍之間，跟 y = f(x) 的曲線至少相交一次，我們稱這個交點為 c。水平線與函數曲線有可能相交不只一次，因而交點可能不只一個，但我們可任選其中之一，把它叫做 c。

這個定理看起來雖然是不證自明的，但若真要去一板一眼的證明出來，還相當不簡單呢！微積分入門課程的教師，一般都不會在

課堂上講解這個定理的證明，除非他們來自另一個星球，而且不是離地球很近的星球。

那麼我們該怎麼應用這項定理呢？

假設我們想知道函數 $f(x) = x^4 - 7x^3 - 4x + 8$ 是否有可能等於0。由於這個函數是個多項式，我們知道它處處連續。另外，當 $x = -1$ 時，我們得到 $f(-1) = 20$，而當 $x = 1$ 時，我們得到 $f(1) = -2$；換句話說，在區間[-1, 1]的兩個端點，函數值分別為20跟-2。中間值定理告訴了我們，當 x 在-1跟1之間變化時，函數值一定得掃過20跟-2之間的每一個值，特別是0這個值，在 [-1, 1] 區間上的某個x的函數值必為0。中間值定理並不會告訴我們，該函數究竟在何處等於0，但是它明白告訴我們在 [-1, 1] 區間上，一定有某個地方的函數值等於0。

20.2 均值定理：陡就是陡

那一天，生意清淡，突然辦公室裡電話鈴響，我拿起話筒說：「這兒是微積分之屠龍寶刀經銷處，有什麼需要幫忙的嗎？」原來是本地的遊樂園打來的，他們正準備建造新的遊樂項目，是一種刺激的新型軌道，起點跟終點都設在地面上，他們打算取名為coaster（飛車）。

使遊樂園員工懷疑的是它的設計，他們希望來玩的人果真能隨著列車疾速上衝、倒懸在空中、然後向下俯衝，「享受」到腸胃不斷翻攪的緊張刺激感。或者至少要讓他們在列車像自由落體般掉落、然後又向上發射出去時，覺得一身骨頭好像要拆散、牙齒也軋軋作響，接著又覺得盲腸給拉長到了跟腳趾同高。打電話來的女經

理很擔心，她想知道負責設計建造的工程師，這次會不會又把事情搞砸了？畢竟他們已有失敗的前例，滑水道漏水，供人觀賞的老虎總是不假外出，而不久前增設的方形摩天輪——看來遊客還是比較喜歡舊式的圓形摩天輪。

　　我聽完她的問題之後，很專業的答覆她說：「沒問題，根據洛爾定理，本人認為你的顧慮完全多餘。不管怎麼設計，你這飛車軌道一定會有至少一個地方坡度為水平的。你放十二萬個心好了，工程師的設計再爛，也不可能搞砸！好啦，請趕緊把顧問費送來，我正好缺錢。」

　　於是乎，第二年暑假我跑去看了看新建成的遊樂設施。我赫然發現，牌子上寫著：Rolle Coaster（洛爾飛車）。只不過，工程師居然把軌道完全設計成平直的，跟當初女經理描述的刺激情況，大異其趣。軌道上每一個點都是水平的，而不是只有一、兩個點呢！我心想，當初該提醒他們避免這種狀況的。不過話說回來，他們寄來的支票跳了票，我一毛錢顧問費也沒拿到！〔譯注：這當然是作者瞎掰的故事，目的無非是要讀者你把洛爾定理跟雲霄飛車（roller coaster）拉上關係。這樣即使到你六十來歲時，陪著你的金孫去遊樂園玩，一眼瞧見雲霄飛車，搞不好還會想起洛爾定理呢。〕

　　好啦！故事講完了。那麼洛爾定理講的究竟是啥內容呢？其實就是，如果你從一點出發，到達與出發點高度相同的另一點，那麼在行程中間某處，一定會有一個局部極大值（最高點）或極小值（最低點）。

洛爾定理（Rolle's Theorem）　若函數 f(x) 在 [a, b] 區間上連續而且可微，且若 f(a) = 0，f(b) = 0，則在區間 [a, b] 內必然存在一點 c，使得 f'(c) = 0。（見圖 20.2）

　　合乎此定理的特殊狀況有三：第一，f(x) 有一個最高點，而且那一點的 f'(x) = 0；第二，f(x) 有一個最低點，而且在那一點 f'(x) = 0；第三，在區間上每一點，f'(x) = 0，而函數圖形根本就是平坦的。（以微積分的觀點來看，平坦曲線附近的每一個點，既可算是局部極大值，亦可看作局部極小值，也就是所謂的「左右逢源」啦！）

　　事實上你應該注意到，洛爾定理還可以用另一種方式來敘述：

　　在函數 f(x) 的曲線上必有一條切線，與該曲線兩端點的連線平行。

　　現在，微積分裡面最著名的定理之一，就要登場了。只要該定理一出場，真可以讓一大堆定理頓然相形失色。不錯，我們所說的不是別個，正是均值定理。你大概作夢也不會想到，大名鼎鼎的均值定理，不過只是把樸實無華的洛爾定理轉個角度，歪斜一下而已。你在看圖 20.2 的洛爾定理時，若是把腦袋歪向一邊，看到的就

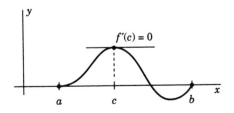

圖 20.2　洛爾定理

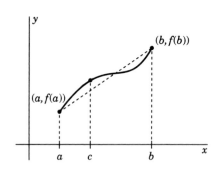

圖20.3　均值定理

會像圖20.3那樣，也就是均值定理啦！

　　兩個定理的不同之處是：在洛爾定理中我們假設 f(a) = 0 = f(b)，而對於均值定理，f(a)跟f(b)可以爲任何值。然而，兩定理的結論其實一樣，都是前面所說的：在函數f(x)的曲線上一定會有一條切線，與該曲線兩端點的連線平行。現在我們得好好想想，該如何用數學的語言來表達這段話的意思。

　　如圖20.3，圖形的兩個端點分別是 (a, f(a))跟 (b, f(b))，因而這兩點之間的連線斜率就等於 $\dfrac{f(b) - f(a)}{b - a}$。我們希望在這段曲線上有一條切線，其斜率與此相同；換言之，我們希望在 [a, b] 區間內存在一點 c，使得 $f'(c) = \dfrac{f(b) - f(a)}{b - a}$。瞧！這就是均值定理，由洛爾定理的結果衍生出來。（當然啦，正規的證明並不只是歪著腦袋看看就可以交代過去——你還得單腳跳上跳下才成。）

均值定理（Mean Value Theorem）　若函數 f(x) 在 [a, b] 區間上連續且可微分，則在該區間內必存在一點 c，使 $f'(c) = \dfrac{f(b) - f(a)}{b - a}$。

　　微積分裡有許多決定性的結果，都要仰賴均值定理來證明，這個定理的重要性，使它不愧為「最有價值的定理」（MVT）。如果你的任課老師在課堂上講到均值定理，千萬要全神貫注，即使它的關鍵性並非馬上就顯現出來。如果老師沒講到，那敢情最好，你就當我們在這兒也沒提吧。

第 *21* 章

積分：
倒過來做就成了

　　到目前為止，我們算是講完了微積分的第一部分，也就是圍繞在微分觀念的這部分。下面接著要講的就是微積分的第二部分：積分觀念。積分的英文字integration，跟 ingratiation（討好）這個字很接近，外行人經常會把兩字混為一談，妙的是，「討好」對於增進微積分課業成績，也是一項頗值得學習的技巧。只不過在本章裡，我們把討論範圍限制在數學技巧上。

　　積分就是反「微分之道」而行，把微分出來的東西破壞、還原回去，同時也當掉、毀掉了許多選修微積分的學生。但這不是必然的結果。在本章，我們將重點描述兩種基本的積分法，討論一些初步的「積分技巧」，最後還會加上幾項「理論基礎」。待我們把這章

講完之後，你準會成爲數學系鷄尾酒會上，被衆人巴結、崇拜得暈頭轉向的積分高手。如果你沒參加過鷄尾酒會，不要緊，邀請函隨後就會寄到，我們非常渴望結交朋友。

積分又可分兩類型，也就是定積分跟不定積分。這兩類積分的行爲，就跟你去約人出來看電影時，可能碰到的兩種反應一樣：斬釘截鐵的人，回答可能是：「想邀我出去？門兒都沒有。即使世界上其他男人全死光了，我也不會接受你的邀請！」優柔寡斷的人，答覆就會像：「這個嘛，星期五我已經計畫好要去洗頭，除非那天下雨。星期四有位朋友大老遠要從東京飛來看我，如果那天剛巧刮颱風，機場被迫關閉的話，那我可能有空。這還得看我明天是否能把要交的報告寫完。如果我星期三的其他幾門課都沒有太難的作業的話，那天我也許有空。」

總結說來，當機立斷的人給了你一個直率、明確的答案（在這個例子裡就是：「不去，我討厭你！」），而優柔寡斷的人回給你一個函數，答案可以是「可」或「否」，得靠一些變數來決定。同樣的，一個函數的定積分，結果會是一個明確的數，譬如3或是17，而函數的不定積分，仍然是一個函數，譬如 x^2 或 $\sin x$；後者稱爲「反導函數」，它的求法剛好跟取導數的做法相反。

讓我們再多看看所謂的不定積分。

21.1 不定積分

函數的不定積分結果，就是該函數的反導函數。它是一個新的函數，而此新函數的導數即爲原函數。求不定積分的方法就是把取導數的過程倒過來。

例題　試求 $f(x) = 2x$ 之不定積分。

由於選取了函數 $f(x) = 2x$，我們知道 $f(x)$ 有一個不定積分（或簡稱為積分）為函數 x^2，這是因為：

$$\frac{d}{dx}(x^2) = 2x$$

所以函數 x^2 為 $f(x) = 2x$ 的一個反導函數。以符號表示，可以寫成：

$$\int 2x \, dx = x^2$$

有些人認為，積分符號 $\int$ 是由英文字母「S」變來的，代表 sorry 一字的縮寫；據說牛頓當年就因為把積分這個觀念強加在他的學生身上，於是向學生表示歉意，說：「Sorry about this old chaps.」另外一些人則以為，這個符號應該代表「sum」（總和），根據他們的說法，牛頓絕不是那種會向人道歉的人。至於跟在這個積分符號後面的函數，譬如此例中的 $2x$，就稱為「被積函數」。

好的問題　積分式子尾巴上的 dx 又是幹嘛的呢？

錯誤的答案：拼字遊戲裡價值 31 分的一個字。

正確的答案：用來指明式子裡被積分的變數是 x。有此需要嗎？的確有。比方你想求解：

$$\int 2 = ?$$

你怎麼知道答案應該是2x、2t，還是2y？因爲它們的導數都是2：

$$\frac{d}{dx}2x = 2 \qquad \frac{d}{dt}2t = 2 \qquad \frac{d}{dy}2y = 2$$

但是如果你要計算：

$$\int 2\,dx$$

你馬上就知道該寫下2x，而不是2t。

現在讓我們再瞧瞧下面這個式子：

$$\int 2\,dx = 2x$$

2x並非是導數等於2的唯一函數，例如2x + 3的導數同樣也等於2，這是因爲：

$$\frac{d}{dx}(2x + 3) = 2$$

而2x + 7.134以及2x − 5的導數也是一樣。事實上，我們可以把任何一個常數加到2x上，而絲毫不影響它的導數。爲了包括這所有可能的情況，我們乾脆寫成：

$$\int 2\,dx = 2x + C$$

式子中的C代表任何一個常數。

考前須知：千萬別忘掉這個常數！

　　在求不定積分時，若你忘了在答案尾巴寫上 + C，你一定會被扣個一兩分，幾乎沒有例外。這是有史以來，每一個受過微積分荼毒的學生，都親身經歷過的標準過程。

　　糟糕的問題　為什麼我們必須在積分答案的後面寫上那個愚蠢的 + C 呢？

　　首先，無論何時何地、有意或是無意，把別人當作寶的東西加上「愚蠢」這個形容詞，本身就是一件極愚蠢的行為。你絕對不會一見到你的教授，劈頭就跟他說：「昨天我遇到你的兒子，他真是愚蠢。」不是嗎？同樣這個問題的較圓滑問法可能是：「這個 + C 是不是用來強調一件事實，那就是：一個函數的不定積分結果，有無限多個函數，而其中的每一個都對應到不同的 C ？」

21.2 積分法：簡單的方法

　　由於積分就是把微分來個反其道而行，所以我們把前面討論過的幾個微分法則反過來，就可以得到積分法則了。首先，何不拿冪法則來牛刀小試一番呢？

$$\frac{d}{dx}x^n = nx^{n-1}$$

把它反過來寫，就得到可稱為「積分的冪法則」的式子了：

$$\int x^n \, dx = \frac{x^{n+1}}{n+1} + C$$

這個結果很合理，因為只要我們求它的導數，就會得到：

$$\frac{d}{dx}\left(\frac{x^{n+1}}{n+1} + C\right) = \frac{(n+1)x^n}{n+1} = x^n$$

這證明了 $\frac{x^{n+1}}{n+1} + C$ 的確就是 x^n 的反導函數。

　　這條積分法則非常好用，幾乎對所有n值都可適用。為什麼我們說「幾乎」呢？那就是有一個n值是例外。請注意，當 $n = -1$ 時，反冪法則會出現一個問題，那就是所得結果的分母會等於0，這在數學圈子裡，可是個不可原諒的罪過。換句話說，積分的冪法則無法應用到積分 $1/x$ 上。

　　至於 $1/x$ 這個函數的積分，正確結果是：

$$\int \frac{1}{x}\, dx = \ln|x| + C$$

你問為什麼會這樣？很抱歉，事實就是這樣，沒啥道理好講，你只能接受。關於這方面，我們將在第24章裡多討論一些。

例題　試計算：$\int x^3\, dx$。

　　在上式中，$n = 3$，所以：

$$\int x^3\, dx = \frac{x^4}{4} + C$$

例題　試計算：$\int (2x^{-1/3} + 3x^3)\, dx$。

請一項一項依次積分，記得別忘了加上常數：

$$\int (2x^{-1/3} + 3x^3)\, dx = 2\,\frac{x^{2/3}}{2/3} + 3\,\frac{x^4}{4} + C$$

$$= 3x^{2/3} + \frac{3x^4}{4} + C$$

在最後這個例題裡面，我們注意到一件非常重要的事實，一般教科書裡也都會用掉大量篇幅，一再反覆解釋這件事：當你拿一個常數（比方說2）去乘一個函數，或是把兩個函數相加，然後再做微分或積分，結果其實跟未乘常數或未相加之前，分別做微分與積分的結果一樣。（但是如果是讓兩個函數相乘，情況就完全不是這麼回事了。）

還有什麼我們可以很容易就求得積分的嗎？

這方面嘛，由於我們已經知道 $\frac{d}{dx}(\sin x) = \cos x$，所以：

$$\int \cos x\, dx = \sin x + C$$

同樣的，

$$\int \sin x\, dx = -\cos x + C$$

又由於

$$\frac{d}{dx}(\tan x) = \sec^2 x$$

因而下面這個積分公式也成立：

$$\int \sec^2 x \ dx = \tan x + C$$

　　地洞跟山羊的故事　對啦！我們耗費了不少口水講這個不定積分，但是還沒提到它有啥子用途。下面這個故事就講到了，不定積分何時會派上用場。

　　主張動物保育的一男一女，在野地裡散步，他們來到一個巨大的地洞前，小心翼翼的走到洞口，探頭下望，發現洞裡漆黑一片，深不見底。女士問道：「你猜猜看這個洞有多深。」男的答道：「這個我哪會知道呀！對了，咱們可以把地上這塊石頭丟下去，看看需要等多久，才聽得到石子撞到洞底的聲音，這樣就可以計算出洞有多深啦。」女士覺得有道理，於是他們合力把那塊石頭舉了起來，朝地洞裡拋了過去。

　　可是等啊等，一直都沒有聽到，最後只是隱約聽到好像有微弱的濺水聲。女士很失望的說：「這個辦法好像不怎麼靈嘛！」男士則說：「還很難說，我想我們需要一個更大的東西。」女士放眼四望，看到一根舊的鐵軌枕木躺在附近，很高興的說：「你瞧那根枕木，應該滿合用吧！」於是他倆連抬帶拖，好不容易才把那枕木搬到洞邊，丟進了洞裡。緊接著他們開始讀秒，在算到第3秒時，突然看到有隻山羊衝向地洞，毫不猶疑的一頭栽了進去。他們雖然給嚇了一大跳，但還是繼續讀秒，終於在第10秒時，他們聽到了清晰的噗咚落水聲，之後不久，又有一聲較輕的噗咚聲傳了上來。

　　就在這當兒，從田野邊的樹林裡鑽出一位農夫，看到這對男

女，老遠就向他們喊道：「你們有沒有看到我的山羊？」女士大聲
回應道：「有呀！剛才有隻山羊跑了過來，跳進地洞裡啦。」農夫
聽了，又喊道：「啊，那你看到的那隻不可能是我的。我的那隻山
羊，我用了一條長繩子，栓在一根枕木上。」

　　問題：地洞究竟有多深？

　　我們知道，枕木被拋離洞邊的那一刻，時間為 $t = 0$，而它落水
時，$t = 10$（聲音從洞底傳上來所花的時間在此略去不計）。另外我
們也知道，地球表面的重力加速度為 $a(t) = -32$ 英尺／秒^2（以英制
計），而此重力加速度適用於任何物品，如動物、植物或礦物。在此
我們略去動物，而專注於植物，也就是枕木。由於山羊的重量跟枕
木比起來小了許多，所以山羊拖住枕木、讓它慢下來的影響作用有
限，因而我們也略去不計。

　　由於速度函數的導數即為加速度，那麼把它反轉過來說，速度
也就是加速度的反導函數或不定積分囉。用數學符號表示，則是：

$$v(t) = \int a(t)\, dt$$

因此，

$$v(t) = \int -32\, dt = -32t + C_1$$

　　又因為枕木在洞口時（即 $t = 0$）的速度為 0，故 $v(0) = 0$；把它
代入上式，則得到 $v(0) = -32(0) + C_1 = 0$，所以 $C_1 = 0$。

　　接下來讓我們看看枕木的位置函數；同樣的，位置函數是速度

函數的不定積分：

$$s(t) = \int v(t)\, dt = \int -32t\, dt = -16t^2 + C_2$$

在 t = 0 時，枕木位於洞口，所以它的高度也等於 0，故 s(0) = 0，同理可得 C_2 = 0。現在，我們終於把位置跟時間的關係確定了下來，裡面不再攙雜未定的常數：

$$s(t) = -16t^2$$

由於枕木是在 t = 10 時撞到水面的，代入上式，就能得知當時枕木的位置為 s(10) = -16(100) = -1600。數字前的負號表示它是在地表以下而非以上，所以這個地洞有 1600 英尺深。

後記：可憐的是那隻山羊，就這麼不明不白的淹死了。

21.3 代換法

現在想像你是一位球隊教練，正率領著你的球隊參加一場決定性的淘汰賽。局勢對你非常不妙，你領軍的「變數」隊被「積分」隊打得落花流水。也不知道是什麼地方出了差錯，你的主將 x 雖然艱苦奮戰，卻打得綁手綁腳、完全施展不開，再不換人，這場球就輸定啦。當教練的你雖然極其不願意，但職責所在，你不得不陣前換將。你朝球員休息區的方向看去，發現他們個個都把頭低著，盯著地板，避免跟你目光接觸。這原是人之常情，誰都不希望在這個時候出去丟人現眼。

但是坐在離你最遠的角落裡的那個瘦小子 u，反倒是滿臉企盼。

你心想：「這小子還真是帶種。管他的，這場球反正是輸掉了。」於是你先向球場上喊：「好啦！x，你下來休息。」然後轉頭指著u嚷：「小子，你的表現機會來了，我要你去接替x的位置！」接著你轉向裁判：「本隊要換人，由u替換……」

　　嘿，醒醒吧！夢作完了……記得嗎？我們在談微積分，在談如何拿高分，對吧？在這一節，我們要教你學會一個求積分的最棒的技巧，此技巧是把鏈鎖律反過來，而鏈鎖律本身就是最棒的微分方法。你應該還記得鏈鎖律吧？就是：

$$(f(g(x)))' = f'(g(x))g'(x)$$

把它反過來做積分，我們會得到什麼呢？

代換法
$$\int f'(g(x))g'(x)\, dx = \int (f(g(x)))'\, dx$$
$$= f(g(x)) + C$$

我們在寫這個式子時，習慣上是用u，而非g，亦即：

$$\int f'(u(x))\, u'(x)\, dx = \int (f(u(x)))'\, dx$$
$$= f(u(x)) + C$$

如果換一種寫法，讓：

$$u'(x)\, dx = \frac{du}{dx}\, dx = du$$

則整個方程式就變成：

$$\int f'(u(x))\, du = f(u(x)) + C$$

　　看起來我們在這兒走了一個捷徑，把dx項消掉了，而且使該項換成du。這樣做可以嗎？答案是肯定的。這套記號系統的設計，允許我們把du/dx當成一個分數，這還真管用呢！

　　在應用上，沒有人會去特地背下這個公式，大家只是記得要把積分式子裡帶有x的項，包括了dx，全部轉成帶有u的項。這個方法的關鍵也是它的困難處，在於要能夠看出，被積函數的哪個部分應該等於u。現在我們來看看幾個範例。

例題　試計算$\int \sin^2 x \cos x\, dx$。

　　讓u等於sin x，則：

$$u(x) = \sin x$$

$$\frac{du}{dx} = \cos x$$

所以就得到

$$du = \cos x\, dx$$

　　上面這一招的好處是，你可以用du取代積分式子中那個讓人頭大的cos x dx，並以u取代sin x，這樣就把問題大大簡化了：

$$\int u^2\, du = \frac{u^3}{3} + C$$

　　用dx去乘等號兩邊的這個小技巧，多少有些偷雞摸狗，因為du/dx並非真正的分數，而只是用來表示導數的記號。不過就像所謂的法律灰色地帶，雖然不是很光明正大，卻沒有觸犯到任何法律條文，那就放手去做吧！

　　但是你的問題還沒完全解出來呢。問題問的原是x的函數，咱們的答案卻成了u的函數，這就好像有人問你現在幾點鐘，你卻回答他「直升機」一樣。

　　所以，別忘了把答案裡的u再換回sin x，成為x的函數：

$$\frac{1}{3} \sin^3 x + C$$

例題　試解 $\int e^{x^3} x^2 \, dx = ?$

　　讓 $u = x^3$，則：

$$\frac{du}{dx} = 3x^2$$

$$du = 3x^2 \, dx$$

為了不要讓常數從中作梗，咱們規規矩矩把等號兩邊都除以3：

$$\frac{1}{3} \, du = x^2 \, dx$$

於是，問題裡的積分就成了：

$$\int e^{x^3} x^2 \, dx = \int e^u \frac{1}{3} \, du = \frac{1}{3} \int e^u \, du$$

$$= \frac{e^u}{3} + C = \frac{e^{x^3}}{3} + C$$

關於指數函數（即 e^x）的積分與微分，請參考第25章。

21.4 眼珠技術

　　其實一般人最常用到的積分方法，可能是教科書上極少提到的眼珠技術。什麼是眼珠技術呢？道理很簡單，就是用眼珠看著積分問題，心裡試著猜出一個答案，然後做微分，看看得到的結果是否跟被積函數相同。如果不同，這個猜錯的答案通常會告訴我們，問題出在哪裡，以及如何修正。譬如說，我們想求 $\int (2x + 1)^4 \, dx$，當然我們可以用前面討論過的代換法，一步步找出答案。但是，現在假裝我們一時間懶得費工夫，那麼我們可以憑經驗，隨便猜一個不會太離譜的答案，比方說 $(2x + 1)^5/5 + C$。猜得對不對呢？簡單，微分一下便知分曉，這兒得用上鏈鎖律：

$$\frac{d}{dx}\left[\frac{(2x + 1)^5}{5} + C\right] = \frac{5(2x + 1)^4(2)}{5} = 2(2x + 1)^4$$

　　結果，猜測答案的導數，比問題裡的被積函數剛好大了一倍，多了一個2。所以我們要做點修改，譬如改成：

$$\frac{(2x + 1)^5}{10} + C$$

於是導數裡就不會多一個2，因此這就是我們所要的正確答案了。看起來非常容易吧？但是有一點得特別注意，這個方法只能在你有八、九成把握時才用得著，若覺得不大好猜，或是腦袋一片混亂，還是乖乖的使用代換法吧。也就是說，你最好是在自己覺得信心滿滿時，才使用眼珠技術。

21.5 現成的積分表

　　在任何一本自尊、自重的微積分書裡，都會有不定積分表，你通常可以在書的附錄、或是封面封底的裡頁上看到。若在你的微積分教科書裡怎麼找都找不到這樣的積分表，請馬上寫信給出版商，罵他一頓，雖然此舉不保證會讓你得到積分表，但是你會覺得很爽。這類積分表的好處是，當你面對一個積分問題而不知道該怎麼辦，或是百試不得其解的時候，你可以查一下積分表，找出你要的答案，然後抄下來。夠簡單了吧。但是有三個先決條件不可不知：

1.　如果你在做作業，老師指定你要用某種積分法（如代換法），而你卻從積分表上找答案，抄下來繳卷了事，那麼你很可能一分都拿不到。
2.　對任課老師來說，要製造出一些積分表上找不到的積分題目，簡直是易如反掌。所以，你想找的答案可能根本就不在裡面。
3.　即使你要找的積分就在表上，也有可能不會一模一樣；你也許得花些工夫改成同樣的形式。

例題　試求：$\int \dfrac{1}{x^2 - x - 2}\,dx$。

　　當你把積分表從頭到尾找遍了，會發現沒一個長得跟它相像！真糟糕，不過你突然靈機一動，把被積函數改寫一下：

$$\frac{1}{x^2 - x - 2} = \frac{1}{(x-2)(x+1)}$$

然後再一看，它不就在表上嗎？雖然式子裡的是a跟b：

$$\int \frac{1}{(x-a)(x-b)}\, dx = \frac{1}{a-b}\,(\ln|x-a| - \ln|x-b|)$$

所以，令a = 2，b = –1，就得到：

$$\int \frac{1}{x^2 - x - 2}\, dx = \int \frac{1}{(x-2)(x+1)}\, dx$$

$$= \frac{1}{2-(-1)}\,(\ln|x-2| - \ln|x-(-1)|)$$

$$= 1/3\,(\ln|x-2| - \ln|x+1|)$$

至於答案裡面的「ln」函數究竟是啥？我們在下一章再解釋。

21.6 利用電腦及計算機

一點也不錯，目前你只需花美金50元，就可以買到一個工程型電算機，能夠解答你在微積分課程裡可能遇到的任何積分問題。一些如Maple、Mathcad、Mathematica及DERIVE等程式更了不起，能夠順利解答許多叫一般人望而生畏的難題。既然有這麼好的計算機跟電腦軟體，幹嘛還要學其他的積分方法？

這個問題有許多可能的答案，不過最基本的理由是，如果你在運用這些工具時，缺乏對積分過程的基本了解，就很容易誤用而不自知。積分若計算錯誤，茲事體大，很可能造成橋樑坍塌，讓財務

分配缺乏效率，導致不小心懷孕、票房低落、過度尖酸刻薄，以及許許多多我們不便在此暴露出來的其他問題。

第 22 章

定積分

22.1 如何求定積分

　　所謂定積分，是來自一個函數外加上兩個數值，最後產生一個
（確定的）數值。定積分的長相跟不定積分幾乎完全相同，只不過在
積分符號的上下兩處，各多了一個寫得小小的數值，這兩個數值叫
做積分極限（limits of integration）。所以在做微積分時，若是有人問
你：「你的極限是什麼？」正確的答案可以是：「－1跟2。」而不
是：「我想想……我拒絕只穿著內褲爬過一堆果凍，那種糗事殺了
我也辦不到。」

　　下面是定積分的標準寫法：

$$\int_0^4 x \, dx$$

這個定積分要如何計算？很容易！首先我們得找出被積函數 x 的不定積分（也就是反導函數），譬如在這個問題裡，不定積分就是 $(x^2/2) + C$。接著把 C 擦掉（這一步讓你覺得這個 C 似乎有些多餘，是吧？），然後把上限「4」代入 $x^2/2$ 之後得到 8，而把下限「0」代入 $x^2/2$，得到 0，最後再以前者減去後者，得到的差就是答案啦。

我們把以上所說的合起來寫成一行式子，就成了：

$$\int_0^4 x \, dx = \left.\frac{x^2}{2}\right|_0^4 = \frac{4^2}{2} - \frac{0^2}{2} = 8$$

答案等於 8。夠簡單了吧？

剛才為什麼要把 + C 擦掉？這是因為當我們把上限所得的函數值與下限所得的函數值相減時，C 總之會抵消掉，既然如此，幹嘛留著呢？如果你不吃這東西，就別把它放在碗裡。

我們再做一個積分，這次稍微難一些：

$$\int_0^\pi \sin x \, dx = \left.-\cos x\right|_0^\pi = -\cos \pi - (-\cos 0) = -(-1) - (-1) = 2$$

也不怎麼樣難嘛，是不？當然，我們還沒有提到定積分最最重要的性質，那就是：它有啥了不起？跟我們有啥關係？它的目的安在？比較客氣點的問法則是：我們為什麼要去算定積分？定積分又能夠告訴我們哪些事情？

用兩個字來回答：面積。

22.2　面積

　　不錯，定積分的一項重要功用就是幫你計算出面積。啥面積？
這麼說吧，如果你有個定積分如下：

$$\int_a^b f(x)\ dx$$

那麼它的值就等於在 x = a 到 x = b 之間，曲線 y = f(x) 下面（跟 x 軸以
上所夾）的面積（見圖 22.1）。

　　舉例來說：

$$\int_0^4 x\ dx$$

就給出在 x = 0 到 x = 4 之間，位於曲線 y = x 下面的面積。如果我們
看圖 22.2（見次頁），其中那塊畫了斜線的部分就是了，它是一個底
為 4、高亦為 4 的直角三角形，而面積一定等於 8，剛好跟前面計算

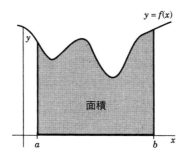

圖 22.1　定積分的值代表曲線下方從 x = a 到 x = b 之間的面積。

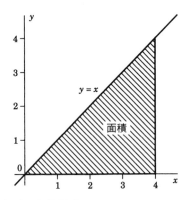

圖 22.2   一個直角三角形下方的面積。

出來的定積分值相同，嗯，很不錯！

當然，為求一個三角形的面積而動用定積分，好像是殺雞用牛刀，未免有點小題大作，而且實在無此需要。我們再來看個不一樣的例子：

$$\int_0^\pi \sin x \, dx = 2$$

從這個結果，我們知道正弦曲線下面，介於 x = 0 到 x = π 之間的面積恰好等於2，要不是用到了積分，還真不容易從圖上計算出來呢（見圖22.3）！

這可是顯現出，定積分這玩意兒的確有過人的本事。好啦，我們現在來點刺激的吧！前面所說的定積分

$$\int_a^b f(x) \, dx$$

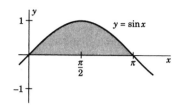

圖22.3　正弦曲線下方介於0到π之間的面積爲2。

並不是永遠代表函數曲線下方，從x = a到x = b之間的面積。我們多多少少朦騙了你，不過就如大部分的善意的謊言，其中另有實情。

實際的情形就是：如果函數f(x)的曲線在x = a到x = b的區間內，都一直蜿蜒在x軸上方的話，那麼定積分的確就是曲線下方的面積。但是，如果其間函數曲線跨越了x軸，延伸到它的下方時，則定積分所給的，就變成圖形在x軸上方圍成的面積，減去在x軸下方圍成的面積（見次頁的圖22.4）。所以，不管是直接計算積分，或是藉由「x軸上下兩方的面積完全相等」這項事實，都能得出下列這個積分結果：

$$\int_0^{2\pi} \sin x \, dx = 0$$

國王與山羊的寓言故事

很久以前有位國王，住在一座通風良好的城堡中，跟他同住的還有三位既美麗又聰明的公主，以及公主們所養的山羊玩伴。三位公主漸漸長大，到了該結婚的年齡，但是對她們有興趣的年輕人，沒有一個是有出息的，若非飆車族，就是身無一技之長的流浪漢。

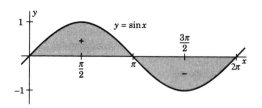

圖22.4　如果函數曲線延伸到 x 軸的下方，該部分的定積分值就可能爲負
數。如圖，sin x 從 0 到 2π 的積分等於 0！

於是國王設計了一個試題，來考驗她們的追求者，主要目的就是要
難倒那些飆車族。他向全國臣民宣布，任何人只要能夠告訴他全國
農民的正確人數，就可以得到 1000 塊金幣的獎賞，並得以任娶一位
公主爲妻；若是答錯了，就得砍掉腦袋。

　　國王知道他這個問題不簡單，因爲雖說該國的法律硬性規定，
農民的的人口密度必須剛好等於每平方英里 15/8 人，但是該王國的
領土面積很不好計算。怎麼說呢？它是一個不規則四邊形，其中三
邊是直線，長度分別爲 100 英里、110 英里跟 10 英里，但是第四條邊
界是沿著一條彎曲的河流，使得面積計算看來幾乎不可能。

　　由於受到高額獎金跟公主美色的誘惑，國內許多年輕人都捨命
前來一試，不過不幸全都猜錯了，當然也都丟掉了腦袋。懸賞不到
一年，全國飆車族已經絕跡，國王非常滿意，但是公主們卻非常失
望，她們埋怨道：「老爸！拜託你別再搞這個鬼名堂了吧。這麼做
實在是無聊透頂！我們的人民連微分都不會，何況是積分呢？看樣
子我們這輩子是永遠嫁不出去啦！」

　　終於有一天，來了一位猥猥瑣瑣、其貌不揚的外國年輕人，他

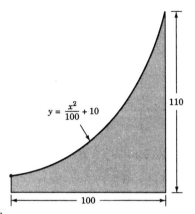

$y = \frac{x^2}{100} + 10$

110

100

圖22.5 王國的地圖

向國王說道：「我特地前來領取獎金，順便娶走你的一位女兒。」
國王聽他說得這麼有把握，啞然失笑道：「你確定你辦得到嗎？且
先告訴我，在我的王國裡一共有多少農民？」

「8124.5。」年輕人毫不遲疑的回答道。頓時國王張口結舌，下
巴往下掉了一英尺長。這是哪門子的魔術呀！居然被他猜個正著，
不但整數完全無誤，連多出來的「半個」農民也沒漏掉（原來該王
國中，有位農民每個月會有兩星期變作狼人，所以只能算半個）。

國王所不知道的是，這位看似靦腆的青年是周遊各地的微積分
教授，他騎著腳踏車來到此王國，路上聽到了國王的這項懸賞，即
刻知道這是他有生以來能找到對象的最佳機會。於是他騎著單車繞
了國境一周，在沿著界河前進時，他發現河道正好是y = x²/100 + 10
這條曲線，而其他三邊疆界皆為直線並相互垂直；也就是這王國的
疆域應該跟圖22.5所顯示的相同。

經過如此這般的仔細分析之後，他知道了王國的面積可由下面

這個定積分計算出來

$$\int_0^{100} \left(\frac{x^2}{100} + 10 \right) dx$$

這個式子積分之後，變成了 $\frac{x^3}{300} + 10x \Big|_0^{100}$ = 4333.333...，又由於問題問的是農民數目，所以還得把領土面積乘以農民人口密度15/8，於是他就求出了農民人數：(4333.333...)(15/8) = 8125。（不過，他知道其中一位是狼人，所以回答時扣掉了0.5。）

這位國王倒是言而有信，馬上下令找來內務大臣，即刻張羅、準備舉行婚禮，同時命令面前的年輕人說：「你到皇宮後苑去，自己選出你的新娘！」這位看似膽小的年輕人很快的去而復返，牽著新娘、一臉勝利者的驕傲笑容。婚禮很快就結束了，年輕人扛起金幣，挽著新娘，正要離去。

「等一會兒！」國王這時突然說：「如果我能猜中你的職業，你是否肯把那袋金幣還給我？」年輕人清楚記得他從未自我介紹過，所以國王不可能知道他是幹什麼職業的，既然有恃無恐，年輕人遂大方的說：「好呀！你就猜猜看吧。」於是國王笑著說：「我猜你是微積分教授。」頓時年輕人的下巴掉下來兩英尺。「你是怎麼猜中的？」國王說：「老實告訴你吧，你所選的新娘子並不是我的女兒，而是我的山羊！」

順便提一下，這個故事後來其實有一個順天應人的歡喜結局。當微積分教授的遭遇傳播開來，販夫走卒都認為國王仗勢欺人，於是不約而同揭竿而起，占領城堡，廢除國王，同時也把公主們從城

堡的封閉生活中解放出來。三姊妹很感謝這位微積分教授，讓她們
脫離父親的暴政，因而都對他萌生至死不渝的愛意，不過他鍾情於
那隻山羊，所以斷然拒絕了她們。失望之餘，三姊妹一起轉行專攻
數學，以她們的聰明頭腦，不久後都成了快樂、成功的高薪數學教
授。（嘿！你笑什麼？這是我們編的童話故事，既然我們說她們高
薪，那就是高薪。）故事到此正式結束。

　　後記：那隻山羊沒得選擇（上一次不明不白葬身地洞）。

　　討論到現在，我們求的都是一條曲線下的面積；更正確的說法
是，該條曲線與x軸所夾的面積。光是求一條曲線下的面積，這多無
趣呀？若是改為求兩條曲線中間的面積，那可就不一樣啦！兩條曲
線中間的面積又該如何求呢？

　　假設我們有兩條曲線，一條是f(x)的函數圖形，另一條則是g(x)
的圖形（見圖22.6）。為了方便計算起見，我們再假設f(x)的曲線一
直保持在g(x)曲線的上方；亦即對所有x，f(x) > g(x)。於是，介於x

= a跟x = b之間，f(x)圖形以下所圍的面積等於$\int_{a}^{b}$f(x) dx，而g(x)下

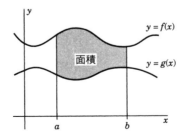

圖22.6　在 [a, b] 區間上方，夾在y = f(x)跟y = g(x)之間的面積。

方所圍的面積等於 $\int_a^b g(x)\,dx$。那麼，f(x)跟g(x)中間所夾之面積，就應該等於前者減去後者，亦即：

$$A = \int_a^b f(x)\,dx - \int_a^b g(x)\,dx = \int_a^b (f(x) - g(x))\,dx$$

把以上敘述稍作整理之後，就成了：若對[a, b]區間上的所有 x （對所有 x ∈ [a, b]），f(x) ≥ g(x)，則在區間[a, b]上，由函數y = f(x)以及y = g(x)所夾的面積就等於：

$$A = \int_a^b (f(x) - g(x))\,dx$$

例題　試求 y = x² 及 y = x³ 之間的面積。

這是非常常見的例題，幾乎每本微積分教科書都有它的蹤跡，如不是用它當作例題，也多半會擺在習題裡。

從圖 22.7 你可以看出，這個問題所要求的，就是圖中狀如新月的一小塊面積，因為這是兩條曲線所夾、且面積為有限值的唯一部分。為求這塊新月形的面積，我們首先得找出兩函數曲線的交點；令 x² = x³，就得到：

$$x^2 = x^3$$

$$x^2 - x^3 = 0$$

$$x^2(1 - x) = 0$$

$$x = 0 \quad 或 \quad x = 1$$

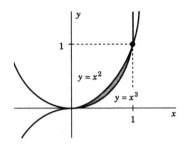

圖 22.7　$y = x^2$ 及 $y = x^3$ 之間的面積

我們需要知道的第二件事實是，當 x 在 0 跟 1 之間，x^2 一直「大」
於 x^3，亦即在上方的曲線爲 $y = x^2$，在下方的曲線爲 $y = x^3$。

將這些資料代入面積公式，我們得到：

$$\text{面積} = \int_0^1 (x^2 - x^3)\,dx = \left. \frac{x^3}{3} - \frac{x^4}{4} \right|_0^1 = \frac{1}{3} - \frac{1}{4} = \frac{1}{12}$$

22.3 微積分基本定理

我們到現在還未討論，爲什麼定積分以及它所代表的量，諸如
面積，可以用這樣的方式求取。答案就因爲所謂的「微積分基本定
理」這顆無價的數學皇冠寶石；這個定理告訴我們，這樣的計算方
式是對的。

微積分基本定理（Fundamental Theorem of Calculus）

$$\int_a^b f(x)\,dx = F(b) - F(a)$$

式子中的 F(x) 爲函數 f(x) 的不定積分（或反導函數）。

在這個方程式中，我們把等號左邊的符號，大致定義爲一條曲線下方的面積（若該曲線爲正），或定義得更精確些，就是稱之爲「黎曼和」的東西，這部分待會兒我們還會再討論。所以說，微積分基本定理就是要告訴我們，確實有這麼一個計算面積跟黎曼和的簡便辦法。你只要這麼想就沒錯了。

既然我們已經弄清楚該怎麼做定積分，爲啥還要這麼婆婆媽媽說一大堆呢？主要的理由是，的確有一些微積分教授（姑且不問他們是誰），相信「試叙述微積分基本定理」是個很好的考題。碰到這種考題，光把上面那個方程式寫出來只怕還嫌不足，你大概還得加上一些有關 f(x) 連續性的條件，或是該函數是否能積分的討論。請查一查你的課堂筆記，裡面會有些線索。

微積分基本定理的重點，在於把你想知道的某樣訊息（即方程式的左邊），轉換成你有可能計算得到的東西（即等號的右邊）。請注意，我們並沒說你算出來的可能性有多大。如果你無法找出 f(x) 的反導函數，麻煩就大了；這也意謂著，在現實世界裡，這情況屢見不鮮，不是每個函數都有漂亮的反導函數。不過，在第一學年的微積分世界裡，積分問題裡的所有函數幾乎是用來訓練學生，熟悉求積分的能力跟技巧，所以絕大多數的函數都有（比較起來）容易求取的反導函數。這種安排的出發點，是讓你能建構出一套積分技巧，以應付大部分的情況，儘管不是全部。

在此我們還要提出另一個定理，這定理常有人稱爲「微積分基本定理第二」，也有人稱它爲「微積分基本定理第一」，而把剛才討論過的稱爲「微積分基本定理第二」。這個基本定理明確表示了積分

跟導數之間的著名關係，也就是互為反函數的關係，只是在這兒特別限定在導數跟定積分之間。以數學符號表示就是：

$$\frac{d}{dx} \int_a^x f(t)\, dt = f(x)$$

若以文字來敘述，它是說：如果我們一開始有個f(t)，先把它積分，並且讓下限a為常數，讓上限x為變數，那麼得到的結果會是一個x的函數。然後，我們把這個x的函數對x微分，看哪！這微分步驟恰好抵消了先前的積分步驟，使得剩下的答案就是原函數f，所不同的是，它原是t的函數，現在卻成了x的函數。

這兒有個值得注意的現象，那就是無論下限a為何數，最後得到的結果均不受影響，你可以在a的位置放入4，或是放入π甚至一隻髒襪子，結果都一樣。所以，這個定理除了可明白表達，積分跟微分互為逆運算之外，它還可以用來證明微積分基本定理，而這也就是為什麼我們要囉唆這麼多的緣故。

22.4 跟定積分有關的一些基本法則

好啦，以下就是咱們跟定積分打交道時，必須遵守的一些遊戲規則。在許多情況下，這些規則隨時都用得上，它們就像你腰際間掛著的工具腰帶。

1.　$\displaystyle\int_a^b f(x)\, dx = -\int_b^a f(x)\, dx$

上下限一互換，正負號也跟著換。

2. $$\int_a^b cf(x)\ dx = c\int_a^b f(x)\ dx$$

你可以把積分式子裡面的常數拉出到式子外面，就有如你可以
把常數從導數裡面拉到外面一樣。

3. $$\int_a^c f(x)\ dx = \int_a^b f(x)\ dx + \int_b^c f(x)\ dx$$

如果你把積分想成是相當於曲線下的面積，這項規則就不證自
明了，因為在f(x)下方、從點a到點c之間的面積，應該等於從a
到b的面積加上從b到c的面積。

例題　試計算 $\int_{-2}^1 |x|\ dx$。

你還記得絕對值的定義吧？它就是：

$$|x| = \begin{cases} x & \text{，若 } x \geq 0 \\ -x & \text{，若 } x < 0 \end{cases}$$

所以我們可以把問題切開，重新寫成：

$$\int_{-2}^1 |x|\ dx = \int_{-2}^0 |x|\ dx + \int_0^1 |x|\ dx$$

$$= \int_{-2}^0 -x\ dx + \int_0^1 x\ dx$$

$$= -\frac{x^2}{2}\Bigg|_{-2}^{0} + \frac{x^2}{2}\Bigg|_{0}^{1}$$

$$= (0 - (-\frac{4}{2})) + (\frac{1}{2} - 0)$$

$$= \frac{5}{2}$$

22.5 數值逼近法

數值方法（numerical method）可以求得幾乎任何一個定積分的值，至少可求出很接近的近似值，而不像把積分極限代入反導函數那樣，能給你完全正確的答案。數值方法是什麼呢？若用比喻的說法，就如同我們面前有個碗，裡面盛裝著可口的冰淇淋，而我們想知道冰淇淋有多少，最可靠的方法就是一邊吃，一邊算算看總共吃了多少匙才吃完！這個方法雖然不比理論方法來得高雅，但是依然美味、可口，而且對我們的最終目標來說也夠正確的了。

對許多無法求得反導函數的函數，要積分的話，就只有用數值積分法了。讓我們看一個簡單的例子：

$$\int_0^1 \sin x^2 \, dx$$

別因為這個例子看似簡單，就以為一定找得到它的反導函數。告訴你吧，別人早就已經試過，你就別浪費時間啦！我們前面提過的代換法、眼珠法全不奏效，唯一剩下的解法就是逼近法了。

主要的幾個數值逼近法，是利用矩形（矩形法或中點法）、梯形

（梯形法）或是一段一段的拋物線（辛普森法——這跟卡通「辛普森家庭」扯不上關係），來逼近曲線下方所圍的面積。原則上，這些矩形或梯形的數目愈多，算出來的值就愈接近實際值。電腦對於這類方法，實行起來比人要得心應手，因為電腦寧願把時間花在運算上，而不是看電視。許多計算機跟電腦都已內建了這類計算方法，而這也就是當你叫電腦替你解定積分時，它們所使用的方法。

接下來我們要講所有逼近法的標準步驟跟原理。假設你現在想逼近下列積分：

$$\int_a^b f(x)\,dx$$

首先，你得把區間 [a, b] 分割成n個等分，稱為子區間，每個等分或子區間的長度遂等於(b − a)/n。再把每一子區間的端點依序標上符號x_0到x_n，例如你是把區間三等分，那麼你就需標上x_0到x_3四個符號；因而x_0取代了a，x_n取代了b，也就是a = x_0及b = x_n。

我們所提的三種數值方法，各自使用了不一樣的圖形，去一一取代f(x)在子區間上的各段曲線，這些用以取代的曲線都跟f(x)靠得很近，而且曲線下所圍成的面積，都比原先的f(x)曲線所圍成的更容易計算。

這三種數值方法的差別，就在你用來取代的曲線為何。如果你用的是一小段一小段的水平線，你會得到一組矩形，總面積就跟我們有興趣知道的f(x)曲線下所圍面積差不多（請看圖22.8）。

總而言之，這些矩形面積之和，近似於從x = a到x = b之間、曲線y = f(x)下方所圍的面積。由於每一個矩形都有相同的寬(b − a)/n，

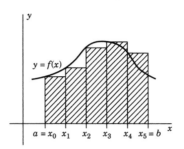

圖22.8 利用矩形來逼近定積分

而高 $f(x_i)$ 等於函數在左手邊端點的高度，所以面積等於 $\dfrac{b-a}{n} f(x_i)$。

把這些矩形面積全加起來，就是所謂的矩形法。

矩形法（選用每個子區間的左邊端點）

$$\int_a^b f(x)\, dx \approx \frac{b-a}{n} [f(x_0) + f(x_1) + \cdots + (x_{n-1})]$$

注意，等號右手邊相加的最後一項應該停在 x_{n-1}，而非 x_n。

如果我們改用每個子區間的右邊端點做為矩形高度，得到的矩形法就稍微有點差別了：

$$\int_a^b f(x)\, dx \approx \frac{b-a}{n} [f(x_1) + f(x_2) + \cdots + (x_n)]$$

以上這兩個矩形法又稱做黎曼和（Riemann sum），用以紀念發明這個方法的德國數學家黎曼（Georg Friedrich Bernhard Riemann,

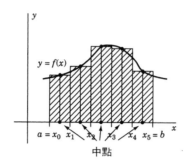

圖 22.9　中點法

1826–1866）。老天，他的姓名還真是又臭又長，即使他的 Georg 比英文裡的 George 少了一個字母「e」！

　　如果我們不選每段子區間的左或右端點，而改選中點來決定矩形的高度，那麼所得的積分逼近法就叫做中點法（見圖 22.9）。

中點法

$$\int_a^b f(x)dx \approx \frac{b-a}{n}\left[f\left(\frac{x_0 + x_1}{2}\right) + f\left(\frac{x_1 + x_2}{2}\right) + \cdots + f\left(\frac{x_{n-1} + x_n}{2}\right)\right]$$

式子中的 $\frac{x_0 + x_1}{2}$、$\frac{x_1 + x_2}{2}$、… 、$\frac{x_{n-1} + x_n}{2}$ 諸點，就是從 $a = x_0$ 到 $b = x_n$ 這個區間 n 等分後，各個子區間的中點。

　　用矩形面積的和來逼近一段曲線下方所圍面積，這個基本想法是整個數學科學中最重要的概念之一，其重要性大約跟用一系列割線來逼近切線的想法並駕齊驅。我們待會兒還會回頭來討論，至於現在嘛……

如果我們把f(x)的每一小段曲線，換成斜率各不相同的直線，這些斜線顯然比矩形的平頂更近似原來的曲線。這麼一來，我們就得到梯形法啦（見圖22.10）。

梯形法

$$\int_a^b f(x)\,dx \approx \frac{b-a}{n}\left[\frac{f(x_0)}{2} + f(x_1) + \cdots + f(x_{n-1}) + \frac{f(x_n)}{2}\right]$$

這裡你把頭尾兩個值f(x₀)跟f(xₙ)都包括進去了，不過各只有一半而已。為什麼會這樣呢？與梯形的面積公式有關：左端的高L、右端高R、而寬為W的梯形，面積為(L + R)W/2。

如果我們再進一步，用拋物線片段來取代每一段f(x)，結果又會比梯形法所用的斜線更接近原曲線，這就是所謂的辛普森法。

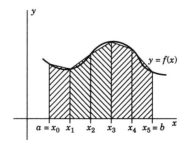

圖22.10　猜猜看，我們在梯形法裡用什麼取代了矩形？

辛普森法

$$\int_a^b f(x)\,dx \approx \frac{b-a}{3n}\Big[f(x_0) + 4f(x_1) + 2f(x_2) + \cdots + 2f(x_{n-2}) + 4f(x_{n-1}) + f(x_n)\Big]$$

請注意，在辛普森法中，等號右邊的分數（相當於子區間的寬度）為$(b-a)/3n$，這是積分拋物線之後的結果。而括弧內的每個$f(x_i)$的係數有一個固定的模式，那就是：

$$1, 4, 2, 4, 2, 4, ..., 2, 4, 2, 4, 1$$

只要你是把區間$[a, b]$分割為偶數等分，就會符合這個模式。在提到辛普森法時，你的任課教授可能會證明，為什麼那些係數會有這個模式，當然也可能不會。設若他真是在課堂上講過，那麼除非他明確告訴你們此題絕對不考，你最好把它背下來。但是一般的教授都認為，這個問題當作考題太過繁瑣了。

這些逼近法在計算上都不難，只是過程單調、乏味，理應丟給電腦或電子計算機去做，偶爾也用來折磨一下微積分學生。不過，這類做多了準會叫人發瘋的計算，是可跑程式的電腦或計算機最拿手的差事。在寫程式時，你可以造一個迴圈，讓程式每迭代一次，就自動加到總和之中，那麼等到程式跑完，你要的答案便出籠啦。

現在讓我們舉個實例，看看用矩形法（以右端點的高度為準）求定積分$\int_a^b \sqrt{x}\,dx$的近似值時，程式該如何寫。假定我們把問題指定的區間分割成10等分，所以總和為10個項相加。

矩形法的程式範例

```
1    S = 0
2    f(x) = sqrt(x)
3    a = 1
4    b = 2
5    n = 10
6    d = (b – a)/n
7    FOR k = 1 TO n
8    S = S + f(a + k * d) * d
9    NEXT k
10   PRINT S
```

第8行的f(a + k * d) * d這一項，就是一個個矩形的面積，當程式執行FOR那個迴圈時，此項會加進總面積S之中。

如果你偏不喜歡採用右端點高度，而要改以左端點，你可以把第8行裡的k，以(k – 1)取代。同理，如果要用中點法，可把同一個k以(k – 0.5)取代，因為0.5d就是子區間寬度的一半。

至於考試嘛，對付這些逼近法的最好方法，是在「有可能出現在考卷上」的前提下，趁考試前把公式背下來，然後在考完後儘快把它們忘掉——「心中想的念的盼的望的，不會再是你。不願再承受，要把你忘記！」

22.6 黎曼和——附帶一些關鍵細節

　　某些教師可能會要求你務必知道定積分的技術定義。第一次聽到時，你可能覺得它很難，不過等你學得了其中的竅門之後，就不這麼覺得了。所謂技術定義，其實就是用矩形法來逼近一個積分。

　　還記得矩形法（選用右端點為每個矩形高度）在說些什麼嗎？它是說：把區間[a, b] n等分為$[x_0, x_1]$、$[x_1, x_2]$、$\cdots$、$[x_{n-1}, x_n]$，而其中$x_0 = a$，$x_n = b$，則

$$\int_a^b f(x)\, dx \approx \frac{b-a}{n}\left[f(x_1) + f(x_2) + \cdots + f(x_n) \right]$$

為了求出

$$\int_a^b f(x)\, dx$$

的實際值，我們得想辦法讓近似值愈來愈逼近實際值。要怎麼做才能達到這個目的呢？就是把區間[a, b]分割得更小，也就是讓矩形愈來愈多（亦即讓式子中的n愈變愈大）。如果取n趨近無窮大時的極限，我們就可以得到實際值啦。（瞧！極限又派上用場了，沒想到吧？）

　　雙「營」記　某年多季，某地青年活動營區受到暴風雪的肆虐，房舍全坍塌了。雖然如此，隔年暑假報名參加夏令營的反而比前年多，營區工作人員為了應急，趕忙搭建起一座巨大的帳棚，讓參加夏令營的男孩跟女孩都住在裡面。當然男孩跟女孩不能混住在一起，於是他們在帳棚正中間加建了一道木板牆，以便隔開男孩營

跟女孩營。

那座帳棚的棚頂橫切面形狀像個人字，中央撐得最高，兩邊彎曲下降，最後與外牆相接。由於是急就章，營區主管只找來了六大塊長方形三夾板，拼湊起來築成隔牆。不幸的是，這些三夾板不能順著帳棚的曲線密實貼緊，因而留下了大量的空隙，讓隔牆而居的少男少女大飽了眼福。

消息傳開之後，第二年的報名人數激增，營區主管當然有所耳聞，所以在夏令營開始之前，也趁機把隔牆整修了一番。這回他們用了十二塊厚實木板，替換原先的三夾板，這也讓每塊木板上方的空隙變小了一些，但是個子高的年輕人，仍然能透過窄小的空隙窺視。結果，有家長發現了這個缺失，準備約同律師去法院按鈴，控告營區妨害風化，迫使營區不得不正視這個問題。

第三年的報名人數仍然居高不下，只是多數申請人都指明要求上層舖位。不過等他們報到之後才發現，營區主管把問題隔間牆又重建了一番；這回他用的是寬僅一英寸的木條，幾乎塞滿了帳棚的整個橫斷面，即使最狡猾的年輕人，使出吃奶的力氣，也拿它毫無辦法，除了偶爾可看到細縫後的眼睛外，啥也瞧不見。所以，對簿公堂的危機解除了，但不幸的是，第四年的夏令營報名人數卻因而大幅減少，居然連基本人數都湊不足，該營區從此就關門大吉了。

假如當時報名人數沒有變得太少、營隊能繼續營運的話，那麼以後幾年裡整修營區時，隔牆上拼合的木條很有可能會愈來愈窄，這正好跟利用黎曼和來逐漸逼近定積分的值，在做法上不謀而合（見次頁的圖22.11）。這些愈來愈窄的木條加起來的總面積，會愈來愈逼近帳棚橫切面的實際面積；這些木條趨近無限多時的面積，就可當作定積分的嚴格定義。

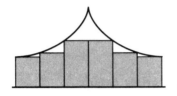

圖22.11　建築帳棚隔牆的頭兩個階段

定積分的技術定義

$$\int_a^b f(x)\, dx = \lim_{n \to \infty} \left(\frac{b-a}{n} \right) \left[f(x_1) + f(x_2) + \cdots + f(x_n) \right]$$

　　天啊，這式子的右半邊未免太難看了吧，現在早已不作興這麼寫啦！寫成 $f(x_1) + f(x_2) + \cdots + f(x_n)$ 的寫法，對業餘人士仍舊說得過去，但一直這麼寫，恐怕往後連販夫走卒都看得懂，豈不壞了數學家崇高的形象？所以，聰明的專家引用了兩個新的記號，$\sum$ 跟 Δx，以把外行人士擋在門外，其中的 $\sum$（希臘文的大寫字母 sigma）用來代表總和：

$$\sum_{i=1}^n f(x_i)$$

　　上面這個很炫的寫法，其實就代表 $f(x_1) + f(x_2) + \cdots + f(x_n)$，其中的 i 叫做求和指數（index of summation）。另外，再用 Δx 來代表逼近法裡所用的那些細長矩形的寬度，即 $\Delta x = (b-a)/n$。

　　把這兩樣新玩意兒代入後，我們的積分定義看起來可就偉大得多啦：

$$\int_a^b f(x)\, dx = \lim_{n \to \infty} \sum_{i=1}^{n} f(x_i)\Delta x$$

　　這個式子還有各種寫法。我們可以由其他逼近法著手，譬如改用子區間的中點來求$f(x)$，或把[a, b]區間分割成不等長的子區間等等。理論上，最後得到的數值一定相同。在這些五花八門的寫法中，由矩形法演繹出來的寫法是最簡單、最常使用的一個。也許你很好奇，想知道最複雜的版本是啥樣子，那麼瞧瞧這個：

$$\int_a^b f(x)\, dx = \lim_{n \to \infty} \sum_{i=1}^{n} f(c_i)(x_i - x_{i-1})$$

式子裡面的c_i，是子區間$[x_{i-1}, x_i]$上的任何一點。

　　兩者有何不同呢？後面這個複雜的版本是說，我們不一定非把區間[a, b]等分不可，而是可以把它分割成不等長的n段，每段的寬度為 $x_i - x_{i-1}$；我們也不一定要選左右端點或中點，而是子區間$[x_{i-1}, x_i]$上的任何一點c_i均可。只要當n趨近無窮大、且函數f能保持冷靜（意思是「不會太過不連續」）的時候，所有的子區間大小都趨近0，這個複雜版本就行得通。

　　當然，如果我們在取極限以前停了下來，我們會得到一個黎曼和；也就是說，$\sum_{i=1}^{114} f(x_i)\Delta x$ 是 $\int_a^b f(x)\, dx$ 的一個黎曼和逼近。

　　雖然有點老王賣瓜之嫌，我們趁此要再度強調一次，前面提過

的微積分基本定理，可真是可愛透頂啦！瞧瞧這個定積分的「定義」，是多麼討人厭的怪物，裡面一大堆極限、和、Δ什麼的。要是沒有了微積分基本定理，你可得赤手空拳的去用這怪公式打交道，做多了不煩死才怪！微積分基本定理真是偉大的救星，只要被積函數有反導函數，你就可以直接取反導函數，把上下限代進去，三兩下就能得到精確的積分答案了。

　　警告：最糟糕的函數是它根本沒有反導函數，你拿它沒轍！在這種情況下，只要該函數是連續的，或是只除了有限多個跳躍之外其餘仍為連續，我們仍然認為這個函數可以積分。

　　好啦！這最長的一章總算到了尾聲，不但寫的人很累，讀的人也快打瞌睡了。咱們小休片刻如何？

　　通俗演講的寓言故事　話說在一個不便透露校名的某大學裡，舉辦了一系列的演講，由學校的教授們主講，對象是校外普通老百姓。這個系列顯然非常受歡迎，舉辦了好多年。美中不足的是，自從開辦以來，未曾有數學系的教授上過台，原因是主辦人害怕學數學的人無法跟缺乏數學底子的大眾做良性溝通。但是這個缺陷總不免招人物議，在輿論的壓力下，主辦人終於商請了一位數學教授，安排好演講日期，並且特別提醒他說：「請注意！來聽講的人都是最普通的老百姓，他們連微積分課都沒上過，所以不知道什麼是導數跟積分。」

　　「沒問題。」教授回應道：「我懂你的意思。」

　　到了演講那天，主辦人作過例行介紹之後，教授走到講台上，一開口就說：「諸位女士先生，在下我今天要講的題目，是如何求函數 f(x) 在 a 到 b 這段區間上的定積分。」坐在第一排的主辦人聞言大驚失色，而整個大教室裡的聽眾個個一臉錯愕。教授望了主辦人一眼，叫他放心，然後繼續說：「在座如有任何人對定積分不熟悉，不要緊，你只要把定積分想成是一個黎曼和的極限……」

第 *23* 章

模型：從玩具飛機到跑道

　　從現實生活中產生出來的數學問題（有別於那些憑空捏造出來的例題），一般都非常瑣碎麻煩。如果有人給了你一個問題，要你做出它的數學模型，你該怎麼辦？下面是你應遵循的三個步驟：

1. 把問題整理一番。也就是把所有跟問題無關的資訊剔除。
2. 看看能否把剩下的資訊改造成為一個數學問題。
3. 解該問題。

　　這三個步驟各有其困難跟陷阱，有時必須一試再試，才能完成步驟、求得最後答案。你會發現，經過努力跟挫折後得來的果實，

不但特別甜美，也非常值得。為什麼呢？因為在現實生活中，好的數學模型可以成功預測世事的發展，而且準確性驚人。一般說來，為了順利通過上述的第2步跟第3步，你在進行第1步時，往往必須捨得拋掉大量看似有關的資訊，而且在進行第2步、寫下方程式之前，經常還得大刀闊斧的簡化問題所給的假設，這樣你才有希望在第3步裡，獲得合理的解。

在做數學模型上，你可要比發明微積分的牛頓、萊布尼茲那個時代的人，幸運太多了；原因是你手邊有電腦和計算機，可以幫忙你快速完成許多計算或運算，這些運算複雜難纏，甚至讓那些才思敏捷的偉大數學家都望而卻步。

模型寓言　有一位數學家約了她的兩位好友去看賽馬，其中一位是物理學家，還有一位是統計學家。他們相互約定，在當日壓軸的那場大賽中，使出自己領域的看家本事，各投注一百美元，看誰能買中勝出。

統計學家非常慎重其事，馬上到附近的書報攤，買下即將出場的每匹賽馬過去比賽的歷史資料，然後打開她的筆記型電腦，把所有可得的變數輸入程式裡，頃刻間就得到了每匹馬跑勝的機遇的機率分布。她拿這個機率分布，去跟看板上公告的勝算（odds）相互比較，然後就把她的一百元全押在3號馬「通靈異數」身上。（譯注：「勝算」又稱「賠率」，即一般人常說的1賠5、1賠20等等。譬如某匹馬跑了第一，凡是花錢賭這匹馬跑勝的人，就可贏得相當於原投下賭注5倍或20倍的獎金。此賠率早年是由賽馬場根據以往經驗，事先訂妥公布，如今為昭公信，避免不當的人為操縱，多改為預先只定下計算公式，賽前不斷

隨著群眾下注的情形，自動調整。）

　　物理學家則把注意力放在每匹馬的質量、體積、身體各部肌肉之間的比率、作功的能力（結果當然都是：一匹馬力），以及跑道的摩擦係數、當天的風力等等。幾經比較之後，他把錢全押給了4號馬「冷融合」。

　　數學家卻避開人群，走到一個清靜所在，向遠方凝視了好一會兒，完全沒有去理會跑道跟參賽的馬匹。最後，她把一百元全押在5號馬「費馬大定理」身上。

　　果不其然，比賽結束時，「費馬大定理」輕易的拔得了頭籌。「妳是怎麼猜到的？」物理學家跟統計學家都大惑不解。

　　「這個嘛……」她解釋道：「如果你們來聽過我在微積分課堂上講的模型課，就不會這麼訝異了。我的第一步是假設每匹馬都是一個完美的球……」

　　寓意：在為問題設計模型的時候，重點不在問題所給的諸多假設跟事實相差多遠，而在它是否保有夠多的關鍵訊息，使你能夠了解問題的精髓。關鍵訊息也許多到讓你贏得巨額獎金。

23.1 現實問題

例題　現在室外氣溫高達華氏105度（攝氏40.6度），這數字還只是在陰涼地方測得的溫度。時間是接近中午的11:30，烈日當空，萬里無雲。此時你正站在屋頂上，手裡捧著一個綠色氣球，裡面裝滿了麵粉，因為你想在你的室友從屋裡走出來時，把這個麵粉炸彈砸到他的頭上。誰叫他口風不緊，讓女友知道了你的行蹤，釀成難以收拾的局面，不給他一點小苦頭吃，豈能消除你心頭之恨？屋頂離地

30英尺，手中的麵粉炸彈已經曬得發燙，你的腦子也曬得昏沉沉，卻一個勁兒在想，待會兒這玩意兒掉到你的室友頭上時，它的速率應該是多少？造成的髒亂會有多嚴重？

第一步，我們得把所有不相干的資訊剔除掉（都是你的室友大嘴巴，否則你壓根兒不會頂著大太陽，跑到屋頂上——這個我們知道，但是跟這顆麵粉炸彈的威力完全風馬牛不相及），接下來還得把剩下來的有關資訊儘量簡化，簡化到我們能夠用來解問題。

哪些部分可以剔除呢？氣溫可不可以剔除？當然氣溫跟麵粉炸彈發燙，兩者不無關係，但是與我們的問題關係不大，所以應該剔除掉。又，在烈日高照的11:30，你在屋頂上幾乎被烤焦不說，而且從一大早到現在連一口咖啡都還沒喝，這對你來說也許非常重要，但我們仍然決定把它剔除。

你手裡捧著的氣球，裡面裝的是麵粉而不是水，兩者之間有任何不同嗎？的確有——麵粉炸彈炸開時，不會潑灑得像水彈開花那麼遠，而且弄得一頭一身的麵粉，比起一身濕透、成了落湯雞，清理起來可就大費周章啦！這對炸彈的威力來說，的確有決定性的影響，所以這個資訊我們先予以保留。那麼氣球炸彈的形狀呢？這個比較棘手。氣球的形狀對麵粉炸開後的分布情形很可能有影響，但是題目裡並沒有這方面的蛛絲馬跡，所以我們假設它是圓球形的。

題目還特別提到了屋簷離地高度是30英尺，這聽起來很重要。但是你是要把氣球炸彈從屋簷邊緣丟下去？還是把它高高舉起之後才往下丟？若是後者，你的身高是多少？同樣的，你的室友有多高？這些細節我們都無法確實掌握，所以我們只能把它理想化跟簡單化，假設你讓氣球炸彈從屋簷上方6英尺處放手，而你室友的頭頂

剛好也在地面上方6英尺處。換句話說，氣球炸彈掉落時所走的距離爲30英尺，多妙呀！

　　這個氣球炸彈掉到你的室友頭上時，速率究竟多快？這可是整道題目的關鍵所在！在此我們需要重力加速度g = −32英尺／秒²這個事實的幫忙。不過在引用這個事實時，有一點千萬、千萬得注意。假如你爬上屋頂的目的，不在找你那可惡的室友出氣，而是要給你最最心儀的女郎一個驚喜，打算把玫瑰花瓣撒落到她的身上，那麼花瓣跟裝了麵粉的氣球，掉落的速率可就完全不同了，因爲花瓣會四處飛舞、到處亂飄，麵粉氣球不會。所以我們若假設氣球的加速度爲剛好−32英尺／秒²，跟事實不會相差太遠。我們寫成：$a(t) = -32$。

　　知道了加速度，求速度就不難啦！因此，麵粉氣球的速度（或速率）應該是加速度的反導函數，也就是$v(t) = -32t + C$。那麼C又是多少呢？我們知道，當你看到你的混球室友開門準備走出來之際，你捧著氣球，心中沉思著生命的意義、文明的必然衰落，猶疑著自己到底該不該把氣球砸到你室友頭上，在你充滿矛盾的關鍵時刻，氣球的速度爲0。所以，$v(0) = 0$，故$C = 0$，因而$v(t) = -32t$。

　　看起來已經滿有頭緒了，只要我們能夠找出，到底在什麼時刻氣球炸彈砸到你室友的頭，我們就可以算出氣球那時的速率。但是我們只知道氣球得掉落30英尺，才碰到他的腦袋，所以我們需要的是距離函數，而距離函數是速度函數的反導函數：$d(t) = -16t^2 + D$。那麼d(0)是多少呢？d(0)應該等於36英尺，因爲你是從屋頂上方6英尺處放手的。所以，$d(t) = -16t^2 + 36$。氣球會在何時砸到他的腦袋呢？答案是當$d(t) = 6$的時候，亦即當$-16t^2 = -30$，或當$t^2 = 15/8$時，也就是$t \approx 1.37$秒的時候。

那麼碰上腦袋的那一刻，氣球的速率究竟是多少？簡單，
v(1.37) = –32 (1.37) = –43.8英尺／秒。聽起來夠快了，應該可以把他
搞得一團糟了。這又把我們帶到了第二個問題——究竟有多糟？

首先我們得把這個問題解釋得比較具體一些。記得前面我們假
定氣球為圓球形，試想，你要是把這麼一顆氣球炸彈從3英尺高的地
方（差不多是從你的腰際）放手，讓它墜落到地面上，當它撞到地
上時，當然會噗的一聲砸碎，裡面裝的麵粉會濺得到處都是。但在
事實上，並非「到處都是」，而是會形成一個以落點為圓心的圓，對
吧？我們可以把這個圓的半徑稱為濺潑半徑。

現在，我們不妨讓「氣球會造成多嚴重的髒亂？」這問題，等
同於「當氣球擊中目標時，造成的濺潑半徑是多少？」很不幸的，
以題目所給的現有資料，我們實在無法回答後面這個問題。我們並
不知道任何氣球炸彈從任何高度掉下來時，所造成的濺潑半徑，而
在這次實驗之後，大概你這輩子也難有機會重新做一回。

我們還需要額外的資訊。這樣吧，我們去麻煩你的另一位室友
（跟你一鼻孔出氣的），到實驗室（廚房）快速做個實驗。他拿了一
個跟你手中一模一樣的氣球炸彈，從9英尺高處（他爬上了流理台）
放手讓它掉到地板上，果然是濺得一塌糊塗。他量了一量，濺潑半
徑是7英尺。然後，用跟前面相同的方法跟步驟，我們算出他這枚試
驗炸彈落到地板上的速度是–24英尺／秒。

現在，我們可以針對濺潑半徑跟撞擊速率之間的關係，做一個
猜想。我們假設兩者成正比，也就是存在某個神祕的常數K，使
得：

$$濺潑半徑 = K \cdot 速率$$

這只是個數學模型——在真實世界裡，我們可能有必要重新考量上面這個假設，做些修正。但在此處，這個假設還算合理。

有了你的心腹室友的實驗數據，我們可以求出 K 的值：

$$7 = K(-24)$$

$$K = -7/24$$

換言之，濺潑半徑就等於 $-7/24$ 乘上撞擊速度。我們已經知道，你手中的炸彈掉落到室友頭頂時的速度為 -43.8 英尺／秒，所以濺潑半徑將為 $(-7/24)(-43.8) \approx 12$ 英尺。在他把混亂場面清理乾淨之前，你大概已經逃到香港啦！

第*24*章

指數與對數：
「e」把戲總複習

24.1　指數

　　好啦！你看到「把戲」兩字，可能以為我們要從帽子裡變出鴿子或兔子，覺得了無新意。不過，溫故而知新的道理大家都知道，所以將就一點，讓我們很快複習一遍吧。

　　指數是什麼？指數就是那些像鸚鵡般的、站在數字或變數右肩膀上的小數字。除了外形跟鸚鵡相似，它們也有自己的一套規範。鸚鵡的言行規範是：第一，模仿主人，以此娛樂主人；第二，只跟其他鸚鵡燕好。指數的言行規範與上述兩點相去不遠，怎麼說呢？請看看下列兩個等式：

$$2^2 \times 2^3 = 2^5 \qquad (2^3)^5 = 2^{15}$$

如果我們把2^3想成2自乘3次（事實上就是），並以此類推，上面這兩條規範就不難記憶了。

$$2^2 \times 2^3 = (2 \times 2)(2 \times 2 \times 2) = 2 \times 2 \times 2 \times 2 \times 2$$

我們還需要知道：

$$2^{-3} = \frac{1}{2 \times 2 \times 2}$$

然後，我們就得到了下列兩個規則：

$$x^{a+b} = x^a \times x^b$$

$$(x^a)^b = x^{ab}$$

這些都很簡單，沒啥了不起，但是最好還是把它們記住。那麼$x^a + x^b$呢？有人可能會想寫下這個答案：x^c，這可就錯啦！不信你隨便舉個例子試試，譬如$2^2 + 2^1 = 6$，6這個數就不是2的某個乘方。

指數還有些什麼好處呢？瞧瞧下面這個例子：$\sqrt{x}$的另一種寫法是$x^{1/2}$，你知道為什麼嗎？動手試驗一下就會明白啦：

$$x^{1/2} \, x^{1/2} = x^{1/2+1/2} = x^1 = x = \sqrt{x} \, \sqrt{x}$$

所以說，$x^{1/2}$跟$\sqrt{x}$事實上是同樣的東西。

以上這些法則對所有的指數一律適用，無論它是否為整數。

還有，任何數的0次方都等於1，譬如$(345{,}762)^0 = 1$。唯一的例外是：0的0次方既不等於1，也不等於0——根本就沒有0^0這樣的數。

回到2^3的例子，我們稱其中的2為「底」（base）。我們可以用10作底，諸如10^3或$10^{1/2}$等等；底也可以是分數或無理數，包括「e」（差不多等於2.7182）這個奇怪的無理數。雖然這個「e」從表面上看起來沒啥道理，但到後面你會發現它非常有實用價值。

好問題：為什麼要用e來代表2.718...？

錯誤的答案：因為字母a、b、c、d都另有他用。

正確的答案：因為e是exponential（指數）一字的第一個字母。

據說有位英國數學家能把e的數值背到小數點後10,000位，他的練習方法是跟他的太太輪流，每人每次依序說出100位數字，一來一往好像在作數值交談似的。他們幹嘛要如此折騰自己？我們猜想，可能是英國沒有什麼值得觀賞的電視節目吧。

小組作業：如果你閒著沒事幹，電視又看膩了，那就去找兩位臭味相投的同窗好友，像那位英國數學家一樣，一起把e的值背到小數點第100,000位。如果你時間沒那麼多，那就背到小數點第50,000位。要是你真的很忙，乾脆用3代替e就好啦！

次頁圖24.1是e^x的函數圖形。這曲線有什麼重要的特性呢？

1. 由於$e^0 = 1$，它會通過點(0, 1)。
2. 它永遠為正值；也就是說，不管x等於多少，$e^x > 0$。
3. 它一直在遞增。
4. 它遞增得非常非常快。這正是我們把快速成長稱為「指數成長」的原因。

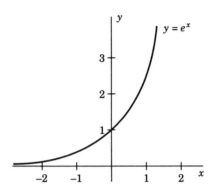

圖 24.1 e^x 的曲線

24.2 對數

取對數剛好是取乘方的相反，比方說 $2^3 = 8$，那麼在對數世界裡，就要說成 $\log_2 8 = 3$，其中的 2 仍然叫做「底」。

這式子我們該如何記住，才不至於弄錯呢？只要把底搬到等號的另一邊就成了，就像這樣：

$$2^3 = 8 \quad \Rightarrow \quad 3 = \log_2 8$$

如果其中的底是 e，我們就把這個對數函數寫成 ln x，並稱之為「自然對數」。

$$\boxed{\ln x = \log_e x}$$

通常我們在微積分裡遇到的是 ln x，而非以其他數為底的對數函

數，不過無論所用的底是啥，基本規則並無不同。

天下事物都各自遵守一些法則，對數函數當然也不例外，只是它跟其他數學函數不同，遵循的法則自成一格。比方說：

$$\ln(ab) = \ln a + \ln b$$

$$\ln(a^b) = b \ln a$$

$$\ln\left(\frac{1}{a}\right) = -\ln a$$

別看這幾個規則沒啥了不起，你可是非得牢記並且最好愛上它們，因為馬上你就會發現，它們能夠省下許多計算上的麻煩。

指數跟對數互為反函數，所以它們會把對方做過的事還原，有點像狗跟撿狗屎鏟之間的關係：溜了一趟狗之後，沒人看得出這隻狗究竟去過哪兒。瞧瞧下面兩個例子：

$$2^{\log_2 x} = x$$

$$\log_2(2^x) = x$$

如果我們用 b 代替 2，也毫無問題：

$$b^{\log_b x} = x$$

$$\log_b(b^x) = x$$

只是其中的 b > 0。

如果我們用的底是 e，你應該仍然記得 $\log_e x$ 的寫法是 ln x，那麼就得到：

$$e^{\ln x} = x$$

以及

$$\ln (e^x) = x$$

當 x = 1 或 x = 0，我們可以看到兩件重要的事實：

$$\ln e = 1 \qquad \ln 1 = 0$$

　　現在讓我們看看 y = ln x 的函數圖形（圖24.2）。對數函數圖形有幾個特性：

1.　曲線通過(1, 0)和(e, 1)兩點。

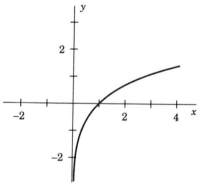

圖24.2　y = ln x 的圖形

2. $\displaystyle\lim_{x\to\infty}\ \ln x=\infty$。

3. $\displaystyle\lim_{x\to 0^+}\ \ln x=-\infty$。

4. $\ln x$只對$x>0$有定義。

5. $\ln x$永遠是在遞增。

6. 由於$\ln x$是e^x的反函數，兩者的曲線以$y=x$這條斜線爲軸，互爲鏡射（見圖24.3）。

　　所以比較簡單的辦法是，你只需要記住其中一個函數圖形，畫出直線$y=x$，然後對這條直線作一鏡射。不過，畫好之後你得分辨得出誰是誰。

　　在這門課裡，常有各式各樣的考題，會利用到指數跟對數的性質。即使這些問題與導數或積分沒啥關係，但是大家並不認爲有任何不妥。下面就是一例。

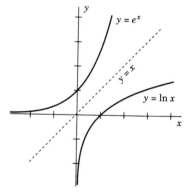

圖24.3　$y=e^x$跟$y=\ln x$互爲反函數。

例題 試證明：

$$\frac{\ln 3}{\ln 2} = \log_2 3$$

好吧，我們先假設 $x = \dfrac{\ln 3}{\ln 2}$，則：

$$x \ln 2 = \ln 3$$

根據對數的其中一個法則，上式可改寫成：

$$\ln (2^x) = \ln 3$$

等號兩邊同時取指數，就得到：

$$e^{\ln (2^x)} = e^{\ln 3}$$

又由於指數是對數 ln 的反函數，所以上式就變成：

$$2^x = 3$$

接下來，等號兩邊同取 $\log_2$，就成了：

$$x = \log_2 3$$

這不就是題目裡要我們證明的嗎？

第 *25* 章

把微積分這玩意兒
用到指數與對數上

現在讓我們瞧瞧函數 e^x 跟 $\ln x$ 的微積分。

25.1　微分 e^x 跟 e^x 的朋友們

請記住：

1. e 這個數的值大約等於 2.72。
2. 我們用 e 做為指數函數 e^x 與對數函數 $\ln x$ 的底。

函數 e^x 有下面這個非常了不起的性質：

$$\frac{d}{dx}(e^x) = e^x$$

也就是說，e^x 的導數正是 e^x 自己。這有點像是說某某人把自己給懷胎生了出來，這顯然得具有異常超人的本領才行；這種怪事要是眞的發生了，準會登上八卦新聞的頭條：

最新勁爆消息，函數宣稱：「吾即吾母！」

事實上，一切函數之中也唯有 e^x 跟它的倍數，才等於它們自己的導數。就因為這層特殊原因，我們才不嫌麻煩的用了這麼一個永遠寫不完的無理數，2.718281828459...，來做爲底。

例題 試求 $\frac{d}{dx}(e^{\sin x})$。

請注意，$e^{\sin x}$ 是 e^x 跟 $\sin x$ 的合成函數，所以我們要利用鏈鎖律（見第14章），來求它的導數：

$$\frac{d}{dx}(e^{\sin x}) = e^{\sin x}\frac{d}{dx}(\sin x)$$

$$= e^{\sin x}\cos x$$

$e^{\sin x}$ 就是外面這個函數 e^u，對裡面的函數 $u = \sin x$ 微分得到的導數，而 $\cos x$ 是裡面的函數的導數。

25.2 積分 e^x 跟 e^x 的朋友們

我們保證你一定會喜歡這一節。既然 $\frac{d}{dx}(e^x) = e^x$，我們馬上就可以推知：

$$\int e^x \, dx = e^x + C$$

換句話說，如果 e^x 是它自己的母親，它當然也是自己的子女囉。

現在，再利用代換法（見 21.3 節），我們就可以輕易的求出許多長相不一樣的積分問題。比方說：

$$\int e^{3x} \, dx = \frac{e^{3x}}{3} + C$$

（你得先假設 $u = 3x$，所以 $du = 3dx$，以此類推。）

把上面這個式子推廣，用常數 k 取代 3，就得到了：

$$\int e^{kx} \, dx = \frac{e^{kx}}{k} + C，其中的常數 k 可以是 0 以外的任何數$$

我們也可以利用代換法或眼珠技術（見 21.4 節），看出：

$$\int e^{x^4} x^3 \, dx = \frac{e^{x^4}}{4} + C$$

25.3 微分自然對數

這兒咱們就不用拐彎抹角了。自然對數 ln x 對 x 微分就得到：

$$\frac{d}{dx}(\ln x) = \frac{1}{x}$$

這相當出人意料！一個長相這麼難看的函數 ln x，導數居然會是這麼漂亮的函數 1/x！簡直是「灰姑娘」故事的函數版，只是少了大南瓜、玻璃鞋，以及王子的一見鍾情跟鍥而不捨。

現在，假如我們想要微分 $\ln(\sqrt{x})$，我們可以走兩條路：

第 1 條路：使用鏈鎖律。

$$\frac{d}{dx}\ln(\sqrt{x}) = \frac{1}{\sqrt{x}} \cdot \frac{1}{2\sqrt{x}} = \frac{1}{2x}$$

第 2 條路：利用以下事實：

$$\ln(\sqrt{x}) = \ln(x^{1/2}) = \frac{1}{2}\ln x$$

於是，

$$\frac{d}{dx}\ln(\sqrt{x}) = \frac{d}{dx}\left(\frac{1}{2}\ln x\right) = \frac{1}{2x}$$

一般說來，用鏈鎖律我們可以得到：

$$\frac{d}{dx}(\ln g(x)) = \frac{g'(x)}{g(x)}$$

這個公式非常實用，譬如說：

$$\frac{d}{dx}(\ln(x^3 - 7)) = \frac{3x^2}{x^3 - 7}$$

25.4 當底爲其他數時

對數跟指數的底可以爲幾乎任何一個數。由於我們有 10 根手指頭，所以我們老想到 10^x，以及跟它相對應的對數函數 $\log_{10} x$。因而在過去，所有的中學學生都學會使用以 10 爲底的對數表。如果人類只長了兩根手指頭，我們可能就會使用以 2 爲底的指數與對數了。講到這兒，我們不是有兩條手臂嗎？這都無所謂了，你看，如今多數人都只用一根手指頭在敲計算機，所以函數 $\log_{10} x$ 也正逐漸消失。

現在，我們來看看 b^x 跟 $\log_b x$ 的導數。我們一步步慢慢來，先來看 2^x。對微積分還不太熟悉的人，很可能會脫口而出的說：

$$\frac{d}{dx}(2^x) = x2^{x-1}$$

這可是大錯特錯！你必須學習控制你的直覺。千萬記住，冪法則（見 12.2 節）不能用在底是常數、指數爲變數的函數！在這裡，正確的答案是：

$$\frac{d}{dx}(2^x) = 2^x \ln 2$$

換句話說，它的導數等於它自己乘上一個 ln 2。哎呀真玄！你一定會問，幹嘛得乘上一個 ln 2 呢？你瞧，根據對數的法則，$2 = e^{\ln 2}$，所以 $2^x = (e^{\ln 2})^x = e^{x(\ln 2)} = e^{\ln(2^x)}$。接著使用鏈鎖律，就得到：

$$\frac{d}{dx} 2^x = \frac{d}{dx} e^{\ln(2^x)} = e^{\ln(2^x)} \frac{d}{dx} (\ln(2^x)) = e^{\ln(2^x)} \frac{d}{dx} (x \ln 2)$$

$$= e^{\ln(2^x)} \ln 2 = 2^x \ln 2$$

基於同樣的道理，我們可以把它推廣成一般的情形：

$$\boxed{\frac{d}{dx} (a^x) = a^x \ln a}$$

在下一章裡，我們還會介紹另一種辦法，來求 $\frac{d}{dx} (a^x)$。

那麼微分 $\log_b x$ 之後又會得到什麼呢？我們是想求出 dy/dx，而其中的 $y = \log_b x$。但是，$y = \log_b x$ 不就是 $b^y = x$ 嗎？所以，我們把 $b^y = x$ 對 x 微分一下：

$$b^y \ln b \frac{dy}{dx} = 1$$

$$\frac{dy}{dx} = \frac{1}{b^y \ln b} = \frac{1}{x \ln b}$$

於是，我們證明出了下面這個公式：

$$\boxed{\frac{d}{dx} (\log_b x) = \frac{1}{x \ln b}}$$

以b為底的對數函數在微分之後，多出了ln b這個因子。至於以e為底的對數函數，倒不是沒有這個因子，而是由於ln e = 1。這麼看來，e還真是有用，不是嗎？

25.5 積分與自然對數

見到這一節的標題，你準以為我們會開門見山的告訴你 $\int \ln x \, dx$ 等於什麼。其實它的答案並非此處的重點，當然如果你一定想要知道，我們不妨就告訴你，答案是：x ln x – x + C。看起來滿奇怪的，不過放心，沒有任何老師會要求你把它背下來。（不過，這個答案可以用分部積分法求出，這個積分法我們在第28.1節就會討論到，到了那個時刻，這可是絕佳的例題呢。）

那麼這節的重點又是什麼呢？簡單，我們只是要把下面這個式子逆轉過來：

$$\frac{d}{dx}(\ln x) = \frac{1}{x}$$

以便得到整個微積分裡面，最最有名的公式之一：

$$\int \frac{1}{x} \, dx = \ln|x| + C$$

對此有兩點要特別注意。第一，在我們把一個似乎跟e毫不相干的函數1/x積分之後，結果居然得到了以e為底的對數——真可謂匪夷所思，同時也凸顯了e的不同凡響。

第二，不知道你是否第一眼就看出，答案裡面的x，左右兩側加

上了絕對值符號。這是因為自然對數函數僅只對正數有定義，所以若x為負值，而又沒有絕對值符號，那麼它就沒有意義了。該不該加上絕對值符號呢？那得看你啦，如果你要拿九十分，就應該加，否則就別去管他。

例題　試求 $\int \tan x \, dx$。

我們知道 tan x 就是 sin x/cos x，所以，

$$\int \tan x \, dx = \int \frac{\sin x}{\cos x} \, dx$$

若用 u 來代換，整個式子看起來會更清楚。讓我們假設 u = cos x，於是 du = –sin x dx，上式就變成：

$$\int \frac{\sin x}{\cos x} \, dx = \int \frac{-1}{u} \, du$$

$$= -\ln|u| + C$$

$$= -\ln|\cos x| + C$$

$$= \ln \frac{1}{|\cos x|} + C$$

$$= \ln|\sec x| + C$$

怎麼樣，還滿意嗎？

第*26*章

對數微分法：
把困難變容易

　　對數微分法非常實用、非常受人歡迎，它到底是怎麼回事呢？說起來很簡單，就是在把函數微分的整個程序裡，在你正式取導數之前，先在方程式的兩邊取自然對數。

　　幹嘛要這樣做呢？咱們且舉一個例子，你看了就知道啦！

　　譬如說我們遇到下面這樣的函數，要求它的導數：

$$f(x) = (x^2 - 3)(x^3 - 4)(x^7 - 5)(x^2 - 6)$$

　　對付這樣的函數，我們前面學過的積法則，可以用來解這個問題，然而可能得花掉你一個下午的時間（好啦好啦！我們的確有點誇大其辭，不過最少也要15分鐘），而且非常容易出差錯。為了省

事，我們可以在上式兩邊先取對數：

$$\ln f(x) = \ln [(x^2 - 3)(x^3 - 4)(x^7 - 5)(x^2 - 6)]$$

然後，利用對數的性質，我們可以寫成：

$$\ln f(x) = \ln (x^2 - 3) + \ln (x^3 - 4) + \ln (x^7 - 5) + \ln (x^2 - 6)$$

這下子，討厭的乘積變成了可愛的和——這正是對數的功用所在。

接下來，我們把兩端微分；根據鏈鎖律，等號左邊的導數就等於 f'(x)/f(x)：

$$\frac{f'(x)}{f(x)} = \frac{2x}{x^2 - 3} + \frac{3x^2}{x^3 - 4} + \frac{7x^6}{x^7 - 5} + \frac{2x}{x^2 - 6}$$

夠簡單了吧？只是慢著，f'(x)/f(x)並不是我們所要的答案，我們要的是f'(x)。這倒是不難，我們只消把式子的兩端再同乘以f(x)，就搞定了：

$$f'(x) = f(x)\left(\frac{2x}{x^2 - 3} + \frac{3x^2}{x^3 - 4} + \frac{7x^6}{x^7 - 5} + \frac{2x}{x^2 - 6} \right)$$

$$= (x^2 - 3)(x^3 - 4)(x^7 - 5)(x^2 - 6)\left(\frac{2x}{x^2 - 3} + \frac{3x^2}{x^3 - 4} + \frac{7x^6}{x^7 - 5} + \frac{2x}{x^2 - 6} \right)$$

這就是答案了！而且這可要比用積法則去解，輕鬆、簡單、省事得多了。另外還有一個辦法，是把函數中一個個因子乘起來展開，那就更難收拾了。

說到這裡，千萬別把上面這個答案乘開，否則你好不容易節省下來的解題時間，就又要泡湯啦！

　　好啦！我們把對數微分法的步驟再溫習一遍。假設我們遇到一個函數 f(x) 是很麻煩的乘積，而我們想知道它的導數。

1.　在等號兩端取 ln。
2.　利用對數的法則，化簡等號右邊的式子。
3.　在兩邊取導數。讓等號左邊永遠是 f'(x)/f(x)。
4.　兩邊同乘以問題一開始所給的 f(x)，就得到我們所要的 f'(x) 了。

　　最常見的錯誤　許多人會忘記最後同乘 f(x) 的這一步。

　　除此之外，這個對數微分法還有什麼其他的用途嗎？且讓你見識一下微分 2^x 的另一個簡單辦法。

　　假設 $f(x) = 2^x$，我們要求 f'(x)。

　　第一步，在兩邊取對數：

$$\ln (f(x)) = \ln (2^x)$$

根據對數的法則，可得：

$$\ln (f(x)) = x \ln 2$$

　　兩邊微分取導數之後（記住，ln 2 只是一個常數），得到：

$$\frac{f'(x)}{f(x)} = \ln 2$$

所以

$$f'(x) = f(x) \ln 2 = 2^x \ln 2$$

　　你說奇怪不奇怪？原先的函數裡完全沒有對數的影子，然而在把它微分之後，「ln」不知從哪兒冒了出來！這也就是爲什麼它會叫做「自然對數」的原因了──它就是這麼自然的，出現在許許多多的數學式子裡。

第 *27* 章

指數增長與指數衰退：壞傢伙的興亡

呈指數成長的問題，通常都不是什麼好事，若不是跟細菌培養的生長有關，就是扯上核爆大屠殺。不過這至少告訴我們，即使是人生最黑暗的一面，都一樣可以用數學來解釋。

基本上，在任何情形下，如果涉及到的函數的變化率跟函數值成正比，那麼這個情形就是一個呈指數成長或衰退的例子。這個定義讀起來挺拗口的，不過如果我們從實際的例子去觀察，應該不難了解。

比方說，族群生長就符合上述模式；現有的兔子數目愈多，兔群的生長率也就愈高。另外，放射衰變的過程也很類似，不同的是，放射性物質的量是隨時間在遞減，而不是增加；也就是說，你

有的放射性物質愈少，它每分鐘的衰變就愈慢。

　　假設函數 N 代表在任何一個已知的時刻，我們手上的兔子的總數或鈽元素的量，那麼，該函數的變化率（通常稱為該函數對時間的導數）跟函數值成正比，用數學式來表示，就寫成：

$$\frac{dN}{dt} = kN$$

其中的 k 只是一個比例常數，隨著問題不同而具有不同的值。在增長的情況下，譬如上述的兔子族群問題，k 是正值，這是因為我們講的兔子族群函數 N，是個遞增函數，因而 dN/dt 必為正。

　　衰退或放射衰變的問題則正好相反，常數 k 是負值，因為若要讓在任一給定時間，放射性物質的量 N 為遞減函數，則 dN/dt 必須為負值。

　　$\frac{dN}{dt} = kN$ 這個方程式，就是所謂的「微分方程式」，因為裡面牽涉到微分。這個微分方程式只是你現在可能接觸的最簡單的一個了。（好啦，好啦，還有一、兩個比它更簡單的，比方說 dN/dt = 0，就是其中一個了。）

　　跟絕大多數的微分方程不同的是，這個微分方程是可解的，意思是說，我們能夠確實找出滿足此方程式的一個函數 N 的一般型。

　　怎麼找呢？首先我們得「分離變數」，把方程式中帶 N 的項，全挪到等號的左邊，同時把所有帶 t 的項，挪到等號的右邊。在做這件事時，我們甚至要把導數 dN/dt 當作一個普通分數看待，把分子、分母拆開：

$$\frac{dN}{dt} = kN$$

$$\frac{dN}{N} = k \, dt$$

然後兩邊積分：

$$\int \frac{dN}{N} = \int k \, dt$$

$$\ln N = kt + C$$

（有沒有注意到？我們並沒有對N加上絕對值符號，因為我們知道它是正的。）

其次，我們把指數函數應用到等號的兩邊，就會得到：

$$N = e^{kt+C} = e^{kt} e^{C} = Ae^{kt}$$

由於e^{C}只是一個常數而已，犯不著寫成這麼複雜的式樣，我們可以用一個簡單的常數A取代它。

於是，$N = Ae^{kt}$。這個式子挺有意思，你瞧，當時間$t = 0$，$N(0) = Ae^{k0} = A$，於是我們得知，A等於$N(0)$，也就是開始時N的量，我們通常把這個量寫成N_0。

因此，$\frac{dN}{dt} = kN$這個微分方程的解的一般式就是：

$$\boxed{N(t) = N_0 e^{kt}}$$

這個方程式我們稱為「指數增長」或「指數衰退」方程式。現在讓我們把它應用到一些具有代表性的範例上。

衛生問題　假設你的淋浴間裡面有一個細菌菌落正在生長。6月1日那天，總數是100萬，到了7月1日那天，總數變成了750萬。假定你的淋浴間裡空間有限，充其量只能裝得下10億個細菌，試問：到了幾月幾日，你就必須開始跑到健身房去洗澡？

好啦！我們你一定擺出一副不以爲然的表情，心想：「拜託！就算細菌還沒長滿，甚至只到達半滿，我也不會在裡面沖澡，而且絕對會拒絕踏進去半步。因爲我看不見它們，所以我根本無法預知什麼時候不再進去沖澡，因此我認爲你這個問題問得太牽強，完全沒道理，我拒絕解題！」

然而你必須堅持下去，不到最後關頭，不得放棄在你自己的淋浴間沖澡。你以爲這兒是育幼院嗎？這是數學課，不容許膽小鬼混水摸魚。

解：我們知道，這個菌落的細菌總數可表示爲函數 $N(t) = N_0 e^{kt}$。依照題意，我們把6月1日那天設定爲 $t = 0$，那麼一開始的細菌總數即爲 $N_0 = 1,000,000$。於是，我們得到：

$$N(t) = 1,000,000e^{kt}$$

接下來我們需要知道k是多少。題目告訴我們，7月1日（或 $t = 30$）的細菌總數，亦即 $N(30) = 7,500,000$。把這個資料代入我們的函數，就得到：

$$7,500,000 = N(30) = 1,000,000e^{k(30)}$$

$$7.5 = e^{k(30)}$$

$$\ln (7.5) = 30k$$

$$k = \frac{\ln(7.5)}{30} \approx 0.0672$$

接著，我們把k的值代入原函數，就可以得到：

$$N(t) \approx 1,000,000e^{0.0672\,t}$$

這個式子告訴我們，細菌在任何時刻的總數。那麼，這個總數何時會等於1,000,000,000？令它等於1,000,000,000，然後求t：

$$1,000,000,000 \approx 1,000,000e^{0.0672\,t}$$

$$1,000 \approx e^{0.0672\,t}$$

$$\ln (1,000) \approx 0.0672\,t$$

$$t \approx \frac{\ln (1,000)}{0.0672} \approx 102.8\,(\text{天})$$

所以，到了9月11日，你的淋浴間已達滿是細菌的狀態，即使你有意擠進去，大概也無能為力啦！

到紐約市找住處的問題　假設美國紐約市遭到了恐怖份子的核彈攻擊，從此變得不適合居住，但是許多人仍認為沒啥不同。不管怎麼說，我們假設在核彈引爆之後，紐約市受到鈷的嚴重污染，剩餘的強度是安全上限的100倍。如果鈷的半衰期為5.37年，請問最快得等多久，人們才能回到紐約市去住？

　　解：這是個衰變問題；理由可不是指我們所住的城中區正逐漸衰敗，而是指放射性物質隨著時間在不斷衰變。

　　言歸正傳，遇到這問題該怎麼解呢？首先，令$N(t)$為城裡在t時間的鈷含量，而t代表距離核彈爆炸的年數。於是，$N(t) = N_0 e^{kt}$，其中N_0是鈷的初始量，k是衰變常數（一定是負值）。在大多數的衰變問題裡，N_0都是已知，但是這一題則沒說，不過倒是告訴我們鈷的半衰期，由此我們可以算出常數k。

　　由於鈷的半衰期為5.37年，意思是指如果鈷的初始量是N_0，過完5.37年的那一刻，鈷的量就會減半，成為$N_0/2$。所以$N_0/2 = N(5.37) = N_0 e^{k(5.37)}$。我們從這個等式求$k$：

$$1/2 = e^{k(5.37)}$$

$$\ln(1/2) = k\,(5.37)$$

$$k = \frac{\ln(1/2)}{5.37} \approx -0.129$$

　　所以，$N(t) = N_0 e^{-0.129\,t}$ 就是鈷在任何時刻t的剩餘量。

　　現在我們要知道，到什麼時候人們才可以安全的搬回紐約？題目告訴我們，一開始的鈷量是安全上限的100倍，所以人們必須耐心等到鈷的量低於$N_0/100$之後，也就是到達安全範圍之內的時候。我們如何計算出這個時刻呢？很簡單，只需令鈷的剩餘量函數值為這個安全上限，然後求出t：

$$N(t) = N_0 e^{-0.129\,t} = \frac{N_0}{100}$$

$$e^{-0.129\,t} = \frac{1}{100}$$

$$-0.129\,t = \ln\left(\frac{1}{100}\right)$$

$$t = \frac{1}{-0.129}\ln\left(\frac{1}{100}\right) \approx 35.7\ (\text{年})$$

還不算太壞，不過爲了自身安全的考量，我們應該至少等36年才行。

大塊乳酪兇殺案　「哎喲！瞧瞧是什麼風，把你這位全憑運氣的大偵探給吹過來啦？」當私家偵探牛角先生踏進房間時，警官說道。

「看來你說話還是這副調調嘛。說正經的，這回是誰遭到謀殺啦？」他一面跟警官調侃，一面打量著地板上扭曲變形的屍體。警官聳了聳肩。

「這傢伙叫做何郎・芬特利，是芬特利羊乳酪事業繼承人，有人在凌晨2:30發現了他的屍體。我看顯然有人對芬特利家族不爽到了極點。」

「還有呢？」

「他的身體溫度在凌晨3:00是華氏85度，4:00時是78度。別問我是怎麼得知的，這你不會想知道。」

「好吧，警官大人，那麼他又是什麼時候斷氣的呢？」

「你問我？那我去問誰呀，牛角先生？你是偵探囉！」

「既然你這麼說，我就給你免費上一課，也許以後你就不是只會測量屍體溫度了。聽好啦：假如屍體溫度爲T，而且放在室溫爲R的房間裡，那麼它的冷卻速率，會跟兩者之差（即T－R）成正比。

「所以，決定屍體溫度T的微分方程式就是：

$$\frac{dT}{dt} = k\,(T - R)$$

其中R是室溫。當然,這跟決定指數增長或衰退的標準微分方程式有些不一樣。」

「你說得沒錯。」

「不過求解的步驟沒有什麼不同,我們一樣得把變數分離,把式子中所有的T移到等號左邊,並把所有的t移到右邊:

$$\frac{dT}{T - R} = k\,dt$$

然後兩端同時積分:

$$\int \frac{dT}{T - R} = \int k\,dt$$

$$\ln\,(T - R) = kt + C$$

$$T - R = e^{kt + C} = e^{kt}\,e^{C} = e^{kt}A$$

我們用A取代了e^C,因為這樣比較漂亮一些。」

「你一向對大寫字母獨有所鍾,」警官插嘴進來,不過偵探沒理他,繼續講解。

「我們把R移到式子的右邊,就得到:

$$T(t) = Ae^{kt} + R$$

其中R是室溫,是個常數。現在的室溫是華氏70度,因而我們會得到$T(t) = Ae^{kt} + 70$。」偵探瞄了警官一眼。

「這我聽得懂。」

「我相信。現在，我們要利用你剛才量到的體溫，來決定式子中的另外兩個常數A跟k，不過在此之前，我們還必須選個時刻，把它定為t = 0。這樣吧，咱們就把你第一次替死者量體溫的時刻，也就是早上3:00，定為t = 0。

「於是我們知道，85 = T(0) = Ae^{k(0)} + 70，所以85 = A + 70，因此A = 15。代回原式就得到：

$$T(t) = 15\,e^{kt} + 70$$

「另外，我們還知道78 = T(1) = 15 e^{k(1)} + 70，所以15 e^k = 8，故

$$e^k = 8/15$$

$$k = \ln(8/15) \approx -0.6286$$

最後這一步是我用隨身攜帶著的自然對數表查出來的。A跟k都求得之後，我們的屍體溫度函數就是：

$$T(t) = 15\,e^{-0.6286\,t} + 70$$

「我們假設死者並不是剛泡完芬蘭浴，所以他在斷氣的那一刻體溫是一般人的華氏98.6度，我們令函數等於這個溫度，然後求t，解出的t就是他被謀殺的那一刻了。

$$98.6 = 15\,e^{-0.6286\,t} + 70$$

$$28.6 = 15\,e^{-0.6286\,t}$$

$$\frac{28.6}{15} = e^{-0.6286\,t}$$

$$\ln\left(\frac{28.6}{15}\right) = -0.6286\,t$$

所以，

$$t = \frac{\ln(28.6/15)}{-0.6286} \approx -1.02\ （小時）$$

「−1.02小時，那是什麼意思呀？」警官問道。

「那表示死者是在凌晨2:00左右掛掉的。」

「真有你的，大偵探！那他是怎麼死掉的？」

牛角偵探彎下身，把手指伸入死者口中，猛拉出一大塊乳酪，「如果我沒猜錯，」他說：「他是因爲這塊乳酪窒息死的。」

「你是說，他只是在吃乳酪時噎住了？」

「不不不，警官，我不是這個意思。任何一個頭腦清醒的人，更別說他這麼一位乳酪專家，都不會把這麼大塊的乳酪塞進自己嘴裡。」

「所以是另有其人囉？但是這塊未免太大了吧，它是怎麼塞進去的？」

「唉唷！你怎麼會看不出來呢？有一個辦法一定可以。」

「是什麼辦法？」

「把它簡單搓一下不就得了！」（譯注：作者在這裡玩了一個文字遊戲。這句話的原文是 a simple twist of feta，英文裡有個慣用語是 a twist of fate，意爲「意想不到的命運」。）

以上我們舉了三個例子，分別是暴力謀殺，細菌，跟核武大災

難，現在讓我們瞧瞧，能否另外舉出一則甜甜蜜蜜的增長或衰退問題做爲例子，給本章一個比較光明面的結局。

園藝店問題　有位名叫雅德蕾的可愛老太太，她把一生積蓄全部拿了出來，投資開設了一家專種植雛菊的園藝店。天公不作美，讓她碰上旱災，雛菊生長得非常糟糕，導致小店快經營不下去了，要是沒有現金可周轉，她馬上就倒店了。雅德蕾到處打聽的結果，只有兩個地方可以借到錢。地下錢莊答應貸給她美金5000元，一年到期，利率23%，以連續複利的方式計息；另一方面，她的親生兒子同樣也答應貸給她美金5000元，一年到期，但利率爲24%，每三個月以複利計息一次。假設如果老太太到時不能連本帶利還清，借她錢的人就要把她的兩條腿打斷（別懷疑，親生兒子也幹得出這種事），試問她應該向誰借這筆錢呢？

　　眞是很抱歉，提到打斷腿的殘酷條件，不過我們只是想實話直說，讓你知道這類問題談的就是生命無常，所謂「禍有並來時」。不管怎麼說，如果我們能夠幫她選出條件較好的合約，也許到時她能還清欠款，躲過一劫。

　　解：首先讓我們瞧瞧，她的兒子一共要她償付多少錢。他要的利息是年息24%，也就是每季要6%，因此當第一季結束時，她欠她兒子美金$5000(1 + 0.06)$元。由於是以複利計息，所以到第二季結束時，她欠她兒子$5000(1 + 0.06)^2$元；第三季結束時，欠$5000(1 + 0.06)^3$元；而到最後一季結束時，也就是一年借期到期時，她將欠：

$$5000(1 + 0.06)^4 \approx 6312.39$$

無條件進位到9分錢（算錢時，她的兒子一向是無條件進位）。既然談到複利，不妨順便提一下：如果你投資P元，爲期t年，年利率爲r（以小數表示），每年計息n次，那麼等到t年期滿，你連本帶利可拿到的錢就爲$P(1 + r/n)^{nt}$。我們剛才就用到了同樣的推論。

　　好啦！現在我們再看看地下錢莊一共要老太太還多少本利和。很簡單，因爲說好是以連續複利計息，所以老太太總共要償還：

$$5000 \, e^{0.23 \, (1)} \approx 6293.00$$

　　所以，向地下錢莊借錢比較划算——懂一點微積分，確實有好處。（附帶告訴你後續振奮人心的結局：老太太在借得款項之後不久，在網路上做了一個讓人印象深刻的網頁，結果，她的花店異軍突起，最後竟發展成全國首屈一指的家庭式花卉公司，同時她也高薪雇用了她的寶貝兒子，叫他到公司上班，爲的是可以每天羞辱他一番出氣。）

　　應該記住的通式　如果我們投資P元孳生利息，年利率爲r，爲期t年，且以連續複利計息，那麼到期時的本利和就等於：

$$Pe^{rt}$$

第28章

花花綠綠的積分技巧

　　這一章要來談談，我們先前一直不願承認的積分難言之隱。其實絕大部分的積分，都像是飢野蠻又骯髒的野獸，潛伏在微積分最黑暗的深處，完全不接受人們的安撫、馴化。它們又像一群遊民，躲著亮光，從不換洗內衣褲。它們經常讓人頭大。

　　有了這層比喻，你就能想像，讓人手到擒來、順利積分的積分問題，實屬異數，其他的絕大多數都是要人使出渾身解數，連抓帶咬，仍然負嵎頑抗，堅決不肯束手就擒。所以若要降服它們，除掉其野性，我們還需要好幾把刷子。這就是本章的內容跟目的，教大家一些特殊的積分技巧，大幅增加我們能馴服的積分問題。

　　在開始之前，有件事你得先記住，那就是當我們討論到某一個

積分技巧,所舉的例題都是必須利用該技巧來解的積分問題。但是當你在考試的時候,情況就不一樣啦,題目旁邊可沒有任何章節標題或提示,告訴你該用哪一個技巧。所以,你得熟知積分問題跟各個技巧之間的關係,這樣才能馬上作出正確的判斷,學著福爾摩斯的語氣說:「華生呀!這個問題顯然是用部分分式法嘛!」總之,能夠判斷出什麼題目應該用什麼方法,至少跟知道怎麼用這些方法,同樣重要。

學習積分技巧的重要性 考完試後第三天,有位學生接到通知說教授要單獨見他,該生趕忙來到教授面前。教授對他說:「我有壞消息跟好消息要告訴你。壞消息是,你根本不了解積分的技巧;該用代換積分法的,你用了分部積分法,該用部分分式時,你偏偏用代換法。總之呢,你考得一塌糊塗,你這次的成績差到無可救藥的地步,我沒辦法不當你。另外我也查過你以前的成績,我不得不告訴你,你很快就會被退學啦!」

這個學生聽了之後有如五雷轟頂,好不容易才勉強迸出兩句話來:「真是難以置信,怎麼會這麼糟?」突然他又想到教授剛才的開場白,於是問道:「那好消息是什麼?」

教授神祕兮兮的,斜靠過來說:「這個星期五,紐約尼克隊要跟波士頓塞爾提克隊交鋒,我好不容易才拿到一張場邊的票……」

28.1 分部積分法

假如u(x)跟v(x)是x的函數,在求兩函數乘積的導數時,我們學過的積法則(見12.3節)非常好用。

積法則　　　　　$(u(x)v(x))' = u'(x)v(x) + u(x)v'(x)$

　　當我們把這個法則反過來，會變成什麼樣的積分法呢？答案是我們所稱的分部積分法（integration by parts）：

$$\int u(x)v'(x)dx = u(x)v(x) - \int u'(x)v(x)dx$$

或寫得更簡單些：

$$\boxed{\int uv'\,dx = uv - \int u'v\,dx}$$

那麼，將下列兩式代入上式：

$$du = \frac{du}{dx}\,dx = u'dx$$

$$dv = \frac{dv}{dx}\,dx = v'dx$$

我們就得到分部積分法最常見的形式了：

$$\boxed{\int u\,dv = uv - \int v\,du}$$

　　這個積分法非常管用，但是有個應用上的竅門，那就是要判斷該讓哪一部分當作是 u，哪一部分當作 dv。這頗像我們在梳頭髮時，是該中分、左分或右分？許多美髮師發現，如果他們無法決定該分哪一邊，頭髮就會糾結在一起，他們的雄心抱負也會因此而耗

盡。不過話說回來，當你應用分部積分法時，若是作了差勁的選邊，也有可能讓你英雄氣短，萌生乾脆退學改行去幹美髮師的念頭！所以請好好注意下面這些例題。

例題　試解 $\int$ x ln x dx.

讓咱們試試 u = ln x 以及 dv = x dx。如果是這樣，分部積分法的結果會是啥？我們把計算結果列出來：

$$u = \ln x \qquad\qquad dv = x\ dx$$

$$du = \frac{1}{x}\ dx \qquad\qquad v = \frac{x^2}{2}$$

我們把 dv 積分，得到了 v；在這個例子裡，$\int$ x dx = $x^2/2$，所以 v = $x^2/2$。這兒本來應該有個 + C，不是嗎？不過我們可以假設它等於 0，因為在分部積分法公式的等號右邊，還有一項未解的 $\int$ v du，其中也暗藏著 + C。於是：

$$\int x \ln x\ dx = \int u\ dv = uv - \int v\ du$$

$$= \frac{x^2}{2} \ln(x) - \int \frac{x^2}{2}\left(\frac{1}{x}\right)dx$$

$$= \frac{x^2}{2} \ln(x) - \int \frac{x}{2}\ dx$$

$$= \frac{x^2}{2} \ln(x) - \frac{x^2}{4} + C$$

　　這就是我們的答案了。至於驗證它是否正確，非常簡單，只需取它的導數，看看能否還原成 x ln x。你這就去微分一下，我們在這兒等你。

例題　$\int \ln x \, dx$ 又等於多少？

　　這個函數看起來不難積分才對，但是我們要從哪兒找出 u 跟 dv 呢？它們似乎藏了起來，就像在水槽底下活動的蟑螂。這樣吧，我們假設 u = ln x，而 dv = dx，為什麼呢？因為我們知道如何微分 ln x，所以把它當作 u 應當不錯。只是如此一來只剩下 dx 了，沒法度，也只能把它當作 dv 了。

　　好啦，分部積分法會給出什麼樣的結果呢？首先作個表：

$$u = \ln x \qquad\qquad dv = dx$$

$$du = \frac{1}{x} \, dx \qquad\qquad v = x$$

　　然後使出分部積分法的公式，我們就得到：

$$\int \ln x \, dx = uv - \int v \, du$$

$$= x \ln x - \int 1 \, dx$$

$$= x \ln x - x + C$$

　　真過癮！可惜分部積分法不能應用到所有的函數上，但是一旦遇到行得通的題目時，準叫你覺得渾身舒泰，興奮莫名。

如何決定哪個應該是u、哪個應該是dv呢？

1. dv 必須選你能夠積分的項，光是這個限制，就大幅降低了可選擇的範圍。當然，選完dv之後，剩下的就是u了。

2. 選擇好之後，式子的右手邊會出現另一個積分 $\int v \, du$，這個新的積分理應比原先的積分容易解。如果這個積分更難解，不妨試試不同的u跟dv。

28.2 三角代換法

在中學時，你也許學過正弦、餘弦及其他三角函數所滿足的幾個恆等式（identity）。現在所謂的身分認同危機（identity crisis），就是源自於此，意思是在考試時，忘記了某個重要的三角恆等式。

在所有的三角恆等式中，最不容易忘懷的大概就是著名的：

$$\sin^2 \theta + \cos^2 \theta = 1$$

這恐怕是一般人唯一記得的一個。事實上，其他的恆等式大多能由這個等式演繹出來。

戲法（記住三角恆等式的簡易方法）　我們從下列等式開始：

$$\sin^2 \theta + \cos^2 \theta = 1$$

譬如說，如果我們把其中的每一項都除以$\sin^2 \theta$：

$$\frac{\sin^2\theta}{\sin^2\theta} + \frac{\cos^2\theta}{\sin^2\theta} = \frac{1}{\sin^2\theta}$$

然後化簡，就得到：

$$1 + \cot^2\theta = \csc^2\theta$$

若是將原式中的每一項改除以$\cos^2\theta$，則得：

$$\tan^2\theta + 1 = \sec^2\theta$$

這些恆等式究竟有什麼用途呢？答案是，我們有時可用它們來解決一些帶平方根以及x^2的函數積分難題。下面所舉的第一個例題十分淺顯易懂，如果你能夠理解其中的觀念，以後在面對更困難的同性質問題時，就不至於茫然不知所措。

例題 試計算：

$$\int \frac{1}{\sqrt{1 - x^2}}\, dx$$

看起來相當棘手嘛！若硬是用直接代換法及分部積分法，包管你剪不斷、理還亂，吃不消兜著走。問題出在那個叫人傷腦筋的$\sqrt{1 - x^2}$，要是能讓它消失不見，就阿彌陀佛啦。怎麼著手呢？不難。讓我們假設$x = \sin\theta$，於是

$$\sqrt{1 - x^2} = \sqrt{1 - \sin^2\theta}$$

$$= \sqrt{\cos^2\theta} = \cos\theta$$

這樣一來，至少討厭的分母變得清潔溜溜了。但是就像代換法一樣，我們不能把後面的 dx 放著不管，還得把它換成新的變數才是：

$$\frac{dx}{d\theta} = \cos\theta$$

也就是

$$dx = \cos\theta \ d\theta$$

於是這個積分問題就變成了：

$$\int \frac{1}{\sqrt{1-x^2}} dx = \int \frac{1}{\cos\theta} \cos\theta \ d\theta$$

$$= \int 1 \ d\theta$$

真奇妙，現在我們要積分的函數居然是常數 1：

$$\int 1 \ d\theta = \theta + C$$

你瞧簡單不簡單？但是別得意忘形，這可不是答案——我們必須把 θ 還原成 x 才行。由於

$$x = \sin\theta$$

因而

$$\theta = \arcsin x$$

（還記得 arcsin 吧？就是正弦的反函數。在本書一開始的高中數學複習章節裡，我們曾經提到它，那時候你大概以為只是些不值錢的裝飾品，現在你瞧，還真派上用場了呢！）

所以，讓我們總結一下：

$$\int \frac{1}{\sqrt{1-x^2}} dx = \int d\theta$$

$$= \theta + C$$

$$= \arcsin x + C$$

現在我們舉一個比較難纏的例題，裡面夾雜著搗蛋的常數。

例題 試計算：

$$\int \frac{1}{4+x^2} dx$$

這題看起來似乎比上一題還簡單，真的嗎？其實它是扮豬吃老虎，你以為你一定能用普通的代換法，輕而易舉的解決此題，那是你沒實地做過，不知道厲害，不相信你就試試。我們不陪你試了，而是要把分母的 $4+x^2$，變成其中一個三角恆等式。該換成哪一個呢？如果我們用 $\tan\theta$ 去取代 x，分母就變成 $4+\tan^2\theta$，沒辦法換成哪個恆等式。若是改讓 $x = 2\tan\theta$，情形就不一樣啦：

$$4 + x^2 = 4 + 4\tan^2\theta$$

$$= 4(1 + \tan^2\theta)$$

太棒了！$1 + \tan^2\theta$ 正好等於 $\sec^2\theta$，因而

$$4 + x^2 = 4\sec^2\theta$$

其次，我們要改變剩下的 dx。由於 $x = 2\tan\theta$，故

$$\frac{dx}{d\theta} = 2\sec^2\theta$$

$$dx = 2\sec^2\theta \, d\theta$$

整個題目就變成了：

$$\int \frac{1}{4 + x^2} \, dx = \int \frac{1}{4\sec^2\theta} \, 2\sec^2\theta \, d\theta$$

$$= \int \frac{1}{2} \, d\theta$$

$$= \frac{1}{2}\theta + C$$

現在我們得把 θ 換回成 x。記得當初的假設是

$$x = 2\tan\theta$$

所以

$$\arctan\left(\frac{x}{2}\right) = \theta$$

於是就得到了：

$$\int \frac{1}{4 + x^2} \, dx = \frac{1}{2}\arctan\left(\frac{x}{2}\right) + C$$

這類積分問題為數不多，很不容易無中生有的造出來，因此在老師講解這一類的例題時，你最好特別用心聽課，他交代的習題也要做得滾瓜爛熟。想想看，你的任課老師在考試當天清晨4:00，不得不從床上爬起來出考題時，你幾乎可以確定，他（她）八成會出課堂裡的例題，最多只是改改常數而已。

28.3 部分分式積分法

你遇到某位異性，雙方一見鍾情、情投意合，覺得對方就是你攜手共度未來的良伴，於是不消多久，兩人就決定同居了。開始的幾個星期，你們如膠似漆，相看兩不膩，還有說不完的甜言蜜語。

不過好景不長，蜜月期剛完，你們的感情就開始變味了。起初只是一些雞毛蒜皮小事，譬如你發現即使燈開著，對方還是要用手電筒閱讀書報；對方不准你吃芹菜，硬說嚼芹菜的聲音是它痛苦的呻吟。終於有一天，你赫然撞見你的阿娜答正在用你的牙刷清理馬桶！該是分手的時候了。

其實這就是部分分式積分法的核心概念。有的時候，處於同一個分母裡的一對函數無法一同被積分，你試過了各種方法，結果都無濟於事，它們合不來就是合不來，無意妥協，那就只有散夥囉。妙的是，這對水火不容的冤家函數一分開，成為兩個互不相干的分式，一切困難煙消雲散，這題積分便易如反掌。

請看下例：

$$\int \frac{3x-1}{x^2+x-2}\,dx$$

這要直接積分，可不是件簡單的事，但是如果我們獨具慧眼，能夠看出：

$$\frac{3x-1}{x^2+x-2} = \frac{2/3}{x-1} + \frac{7/3}{x+2}$$

事情就迎刃而解啦！（你若存疑，不妨把等號右邊的兩個分式通分相加，看看是否果然等於左邊。）接下來，我們就要來積分：

$$\int \left(\frac{2/3}{x-1} + \frac{7/3}{x+2} \right) dx = \frac{2}{3}\ln|x-1| + \frac{7}{3}\ln|x+2| + C$$

簡單吧？但問題是，我們如何能知道

$$\frac{3x-1}{x^2+x-2}$$

可以寫成

$$\frac{2/3}{x-1} + \frac{7/3}{x+2}$$

除了獨具慧眼外，還得有點代數頭腦才行！這個跟代數有關的小技巧，就是部分分式法的重點所在。做法是這樣的：首先把分母因式分解：

$$x^2 + x - 2 = (x-1)(x+2)$$

然後我們就可以寫下：

$$\frac{3x-1}{x^2+x-2} = \frac{A}{x-1} + \frac{B}{x+2}$$

當然其中的 A 跟 B 還沒求出來。接下來，等號兩邊同乘(x − 1)(x + 2)，就可得到：

$$3x - 1 = A(x + 2) + B(x - 1)$$

$$= Ax + 2A + Bx - B$$

$$= (A + B)x - (B - 2A)$$

因為 x 可以是任何數，所以

$$A + B = 3 \qquad B - 2A = 1$$

而且兩者必須同時成立。

從第一式，我們得到 A = 3 − B，代入第二式之後，可解得 B = 7/3，由此再解出 A = 2/3。有了 A、B 值後，我們就可以寫下：

$$\frac{3x-1}{x^2+x-2} = \frac{2/3}{x-1} + \frac{7/3}{x+2}$$

最後，再利用代換法及 $\int 1/x\ dx = \ln|x| + C$ 這條公式，就可以輕易得到答案了。

要拿 90 分的學生請注意：如果被積函數的分子與分母皆為多項式，而且分子的次數比分母還高，如 $\dfrac{x^3 - x^2 - 7x + 2}{x^2 - 3x + 2}$，那麼在你應

用部分分式法之前，記得先用長除法，讓分子除以分母。譬如此處

所舉的例子，除完之後會得到 $x + 2 + \dfrac{-3x - 2}{x^2 - 3x + 2}$，於是前面的 $x + 2$

可以直接積分，而剩下的餘式就用部分分式來積分，簡單吧！

第*29*章

二十個最常犯的錯誤

　　在本章裡，我們將列出微積分老師在批閱考卷時，所發現的幾個最常見的錯誤。如果你能避免重蹈覆轍，那麼至少你所犯的錯誤會是一些不常見的！在這些錯誤中，大部分的問題跟微積分無關，而是跟代數有關，只要你小心計算、仔細驗算，就能避免這類錯誤。其他的常見錯誤，則牽涉到微積分方面的各種誤解。

1. $(x + y)^2 = x^2 + y^2$ 　　錯！

　　不能這樣亂平方。正確的展開式是：

$$(x + y)^2 = x^2 + 2xy + y^2$$

2. $\dfrac{1}{x+y} = \dfrac{1}{x} + \dfrac{1}{y}$ 　錯！

分數相加的正確規則是：$\dfrac{1}{x} + \dfrac{1}{y} = \dfrac{x+y}{xy}$。

3. $\dfrac{1}{x+y} = \dfrac{1}{x} + y$ 　錯！

這個錯誤經常發生，多半是由於不小心看錯了分母。要避免這項錯誤，在寫演算過程時盡可能不要太潦草，或是多用括弧。

4. $\sqrt{x+y} = \sqrt{x} + \sqrt{y}$ 　錯！
記住，$\sqrt{x+y}$ 不能再進一步化簡，它就是長這個樣子。

5. $x < y$，所以 $kx < ky$，其中 k 爲常數 　錯！
若 k 爲正值，這個敘述成立。但是如果 k 是負值，中間那個不等號就必須顛倒過來，變成「>」；比如 $k = -1$ 時，若 $x < y$，則 $-x > -y$。而當 $k = 0$，就什麼搞頭也沒有了。

6. 在處理分式的極限問題時，忘了化簡 　錯！

譬如說寫成 $\displaystyle\lim_{x \to 1} \dfrac{x^2 - 1}{x - 1} = \dfrac{0}{0}$，然後下判斷說該極限不存在。更糟糕的是把上下兩個 0 相消，然後說它等於 1。

求極限時，任何時候如果出現了 0/0，它就是一個大警訊，是在告訴你：工作還沒做完！譬如以上所舉的問題，正確的答案應該是：

$$\lim_{x \to 1} \frac{x^2 - 1}{x - 1} = \lim_{x \to 1} \frac{(x - 1)(x + 1)}{x - 1} = \lim_{x \to 1} (x + 1) = 2$$

7. $\frac{\sin 2x}{x} = \sin 2$　　　錯！

分子與分母中的項，只有在它們不包含在任何函數裡，或是可提出來成為乘數的時候，才能互相抵消。sin 2x 這個函數，並不是 sin 2 乘以 x；如果一開始就寫成 $\frac{\sin (2x)}{x}$，就比較不容易弄錯了。

8. ax = bx，故 a = b　　　錯！

這是一個比較微妙的錯誤。這個消去的動作，只有在 x 不為 0 的條件下才能成立，比方說 2x = 3x，就迫使 x = 0，你絕對不能異想天開，把等式兩邊的 x 消去，然後說 2 = 3。這樣的結論至少在我們這個宇宙裡是行不通的。

9. $\frac{d}{dx} 2^x = x2^{x-1}$　　　錯！

正確的答案是 $2^x (\ln 2)$，見第 25 章。冪法則只能應用在底為變數、指數為常數的函數，例如 x^3。

10. $\frac{d}{dx} \sin (x^2 + 1) = \cos 2x$　　　錯！

這是在應用鏈鎖律時，常常犯下的典型錯誤。正確答案是：

$$\frac{d}{dx} \sin (x^2 + 1) = (\cos (x^2 + 1))2x$$

11. $\dfrac{d}{dx}\sin(x^2+1)=\cos(x^2+1)+\sin 2x$　　錯！

這同樣是應用鏈鎖律時，常犯下的錯誤。這回顯然是把積法則誤用到鏈鎖律上。

12. $\dfrac{d}{dx}\cos x=\sin x$　　錯！

答案應該是 $-\sin x$。這是非常普遍的錯誤，全世界修微積分的學生，每年因為這個錯誤而損失的分數，加起來應該超過一千萬分了吧。

13. $\dfrac{d}{dx}\left(\dfrac{f}{g}\right)=\dfrac{fg'-gf'}{g^2}$　　錯！

分子的部分寫反了，正確的是：

$$\dfrac{d}{dx}\left(\dfrac{f}{g}\right)=\dfrac{gf'-fg'}{g^2}$$

14. $\dfrac{d}{dx}(\ln 3)=\dfrac{1}{3}$　　錯！

$\ln 3$ 是個常數，常數的導數都等於 0，所以 $\dfrac{d}{dx}(\ln 3)=0$。基於同樣的理由，$\dfrac{d}{dx}(e)=0$，$\dfrac{d}{dx}\left(\sin\dfrac{\pi}{2}\right)=0$。

15. $\displaystyle\int x\,dx=\dfrac{x^2}{2}$　　錯！

正確的答案是 $\displaystyle\int x\,dx=\dfrac{x^2}{2}+C$。挑剔的教授最喜歡出這種題目，

好扣掉粗心大意學生的分數。

16. $\int \frac{1}{x} dx = \frac{x^0}{0} + C$　　錯！

積分裡的冪法則對 x^{-1} 不適用。此題的正確答案是

$$\int \frac{1}{x} dx = \ln|x| + C$$

17. $\int \tan x \, dx = \sec^2 x + C$　　錯！

這是在張冠李戴。正確的是 $\frac{d}{dx} \tan x = \sec^2 x$，至於積分，則是：

$$\int \tan x \, dx = \ln|\sec x| + C$$

18. 忘了化簡　　錯！

譬如說，你遇到

$$\int x\sqrt{x}\,dx$$

如果你注意到 $x\sqrt{x} = x^{3/2}$，事情就好辦了，你可以應用冪法則來積分。如果不幸你沒看出來，而逕自試著用分部積分法或代換法，你就會發現你身在外太空，卻沒穿太空裝！

19. 沒有把答案裡的變數代換回原先的變數　　錯！

譬如說，

$$\int 2xe^{x^2}\,dx$$

的答案不是 $e^u + C$，而應該是 $e^{x^2} + C$。

20. 誤解題意　　錯！

如果題目是要你求面積，你就別去算體積；要你微分，就別去積分；要你用微積分的方法解題，就別用代數心算。把這一條加在這張清單裡，雖然顯得有點不倫不類，但是由於這種原因被扣掉的分數，可真是數也數不清。為避免這種傷感情的糗事也發生在你的身上，你要養成習慣，考試時每做完一題，一定要回頭把題目再讀一遍，確定你解答了題目所問的問題。

21. 在你還沒有準備好的時候，自以為準備妥當　　錯！

這個錯誤可能是最重要的一個，所以雖然前面已經列了限額20個，我們還是把它提出來警告大家。缺乏自知之明，是許多學生所犯的最大錯誤；往往他們看著題解，就錯誤的以為自己懂得怎麼解題了。若想知道你自己有多大能耐，很簡單，把書合上，電視關起來，門鎖好，讓那些平常喜歡指正你錯誤的朋友一概不得其門而入，然後模擬自己是在考試，去做幾道題目。

第30章

期末考會考什麼？

　　啊！期末考。就是在短短一兩個小時裡，把整學期學到的十八般武藝，反芻到幾張紙上的那檔子事嘛。它就像地平線上將出現的暴風雨，讓所有的學生聞之色變，爲之驚慌。它的威力強大，足以摧毀剛起步的學術幼苗，把全部的校園社團組織夷爲平地，叫平日不可一世的健壯運動員，可憐兮兮的跪地求饒。

　　但是你不用擔心，因爲在這最後一章，我們將告訴你，什麼樣的題目會出現在期末考中——至少就機率的角度來說。讀了本章，包管你有備而無患，期末考輕鬆搞定。

　　以下是我們彙集的考題一覽表，裡面列出了各種類型的熱門試題，以及會出現的機率。當然，你的教授可能有他（她）自己的偏

好題型，以致於跟這份表相當不同。所以我們要特別聲明，除了參考這張表，更重要的是你得把任課教授的講課內容搞清楚。（這下子，萬一你的期末考題跟我們預測的完全兩樣，你就不能上法院去按鈴控告我們啦！）

1. 繪圖題（最為普遍；出現在99%的期末考卷裡）。這類問題是要你畫函數圖形，敘述大概像這樣：

> 繪出下述函數的圖形。標出所有的臨界點、漸近線及截距。找出反曲點，並注明哪個部分是凹口向上，哪個部分凹口向下。

通常這種題目所給的函數，都不是容易對付的善類，如：

$$f(x) = 3x^{2/3} - x^2 + 1$$

或

$$g(x) = \frac{1}{x} + \frac{4}{x^3}$$

這類問題的目的，是要你運用所學的微積分，找出極大值、極小值等等。這倒沒什麼問題，不過你若能另外多標出一些點，可以幫助你得到更接近真實的圖形，驗證你的其他計算結果。

遇到這種題目時，不妨先分別讓 x 跟 y 等於 0，算出截距。記得要檢查看看是否有不具定義的點——譬如那些會讓分母變成 0 的點。而極大值跟極小值，可以在微分之後，設其導數為 0 而求得。通常這種問題的微分很簡單，不會花掉太多計算時

間。另外，別忘了把臨界點的x代回原函數，以求得y；當然，你得把x、y軸畫出來，才能把圖形畫在上面。為了避免把各個點的座標混在一塊，最好是列成一個表。

2. 微分問題（最為普遍；出現在100％的期末考卷上）。顧名思義，這類題目就是要叫你微分各式各樣的函數，包括一些不是很討人喜歡的函數。這些比較難處理的函數，往往需要先應用鏈鎖律、積法則等方法，分成多個容易對付的部分，然後再微分。下面是幾個常見的例子：

試求f′(x)，如果

$$f(x) = \ln (\sin x)$$
$$f(x) = x(3x - x^2)^6$$
$$f(x) = \sec x$$

解這些題目時，特別注意你所寫下的每一步，並且多用括弧，這樣你就能避免很多代數演算錯誤——演算錯誤是最主要的分數殺手之一。

3. 極限問題（非常普遍；90％的期末考卷上都有它的蹤跡）。一個典型的極限問題是：

試求以下幾個極限：

$$\lim_{x \to 2} f(x)$$

$$\lim_{x \to 2^-} f(x)$$

$$\lim_{x \to 2^+} f(x)$$

其中的

$$f(x) = \begin{cases} -1 & \text{如果} \quad x \le 1 \\ 2x & \text{如果} \quad 1 < x < 2 \\ x^2 + 1 & \text{如果} \quad 2 \le x \end{cases}$$

這個問題裡面的函數其實很簡單,只是在不同的區間內有不同的定義。也許是根源於嬰兒期受到的某種心理創傷,大多數的學生似乎對這類問題感到莫名的恐懼。也許你只是平日疏於做這方面的習題,因而對此感到陌生。看到這樣的題目時,最好的辦法就是畫出函數圖形。

另一個典型的極限問題是:

$$\lim_{x \to 2} \frac{x - 2}{\sqrt{x + 2} - 2}$$

當 $x \to 2$ 時,它的分子、分母都趨近 0。情況不大妙。不過,你可以用一點代數技巧,來解這個問題:

$$\frac{x - 2}{\sqrt{x + 2} - 2} = \frac{x - 2}{\sqrt{x + 2} - 2} \frac{\sqrt{x + 2} + 2}{\sqrt{x + 2} + 2}$$

$$= \frac{(x - 2)(\sqrt{x + 2} + 2)}{x + 2 - 4}$$

$$= \frac{(x-2)(\sqrt{x+2}+2)}{x-2}$$

$$= \frac{\sqrt{x+2}+2}{1}$$

然後再取 x 趨近 2 時的極限，就可得到正確答案：

$$\lim_{x \to 2} \sqrt{x+2} + 2 = \sqrt{2+2} + 2 = 4$$

需記住的重點是：值代入之後若出現 0/0 或 ∞/∞，那就趕緊做些相消的步驟。〔如果你試過了，仍舊不行，那麼你可能需要動用到更複雜的方法，譬如羅必達法則（L'Hôpital's rule）——這法則在我們寫的下一本書《微積分之倚天寶劍》裡會介紹給大家。〕

注意！你的教授也極有可能出一道極限的難題考你，目的是看看你知不知道 $\lim_{x \to 0} \frac{\sin x}{x} = 1$。

4. 有關極大或極小值的文字題（非常普遍；期末考出現率高達95%）。一般說來，這類題目是要你把一個文字敘述的問題，翻譯成一些數學式，然後求某一函數的極大或極小值。這類問題的最困難部分，通常是在如何寫出一個你要微分的函數。只要你能寫出來，求極大或極小值就非常簡單：把函數微分，令導數為 0，然後找出臨界點。最後，你可以利用二階導數、一階導數或直接代入，來判定該點是極大值、極小值，或者兩個都不是。

常見的陷阱：極大（小）值也許會發生在區間的邊界，在這種情況下，它的導數雖然不見得等於0，但仍然為絕對極大（小）值。

5.　定義域或連續性的問題（普遍；出現率在50%左右）。這類題目是要你判定給定函數的定義域，以及找出該函數在哪些部分是連續的。題目所給的函數可能是分段函數，如：

$$f(x) = \begin{cases} -1 & \text{如果 } x \leq -1 \\ \dfrac{1}{x} & \text{如果 } -1 < x < 2 \\ x^2 - 1 & \text{如果 } 2 \leq x \end{cases}$$

解這類題目的重點，是查看函數裡的分母在哪個點會變成0（以上面所舉的函數為例，就是當 x = 0 時），其次，得查看各段函數的分段點（在這個例子裡，分段點就在 -1 和 2 這兩個點）。

6.　導數的極限定義（普遍；出現率在50%左右）。這類問題是要你直接從極限的定義，算出導數。能夠從極限算出導數的函數並不多，主要可分以下四大類型：

(a)　x、x^2，或 x^3。更高次的非常少見。
(b)　$\sqrt{x}$。極限的求法是：讓分子跟分母同時乘上 $\sqrt{x+h} + \sqrt{x}$。
(c)　1/x。
(d)　簡單的多項分式，例如 $\dfrac{x-1}{2x+5}$。

7.　速率或速度問題（普遍；出現機率約50%左右）。這類題目一般會牽涉到棒球、跑車、子彈、飛機、溜溜球或是跳傘選手（包括有降落傘跟沒降落傘的）。你必須記住，速度是位置的導數，而加速度則是速度的導數。另外也要特別注意，別把正負號給弄顛倒了。還有就是要記得，凡是向上拋的東西，遲早會再摔落下來；你怎麼對待別人，別人也會同樣對待你；你吃什麼，就會是什麼。

8.　相關變率問題（普遍；出現在期末考卷上的機率是50%）。從字面上，不難理解相關變率問題在講些什麼——題目裡會有兩個變化率，而且兩者是相關的。你可以用其中一個函數表示另一個，而這也就是解這類問題的訣竅。最困難處通常在於如何把文字敘述轉成方程式，以及去搞清楚題目究竟在問什麼。

9.　隱微分（普遍；出現機率約40%）。如果沒辦法把題目中的方程式寫成 y = f(x) 的形式，你勢必得用隱微分的方法去求 dy/dx。如果題目要你計算某一點 (x_0, y_0) 上的 dy/dx，而且兩座標都告訴了你，那就是擺明了叫你用隱微分。

10.　求近似值（較不普遍；出現在期末考的機率僅 20% 左右）。這類問題是要你估計一些值，譬如 $\sqrt{3.9}$ 跟 $\sin(\pi + 0.1)$。

11.　切線方程式（較不普遍；出現的機率僅有 20%）。這類問題是要你找出通過函數上某一點的切線方程式。解題的訣竅在於，你必須微分該函數，以得到切線的斜率。

12. 求積分的問題（最爲普遍；100% 會出現）。一般說來，試卷上只有一堆題目，但不會告訴你該用哪個方法，這得靠你自己決定了。下面我們大略列出哪些積分問題該用哪個方法，給你參考：

* 代換法：$\int x^2 e^{x^3} \, dx$、$\int x \sqrt{x^2+1} \, dx$、$\int \sin^3 x \cos x \, dx$。

* 分部積分：$\int \ln x \, dx$、$\int x \ln x \, dx$、$\int x e^x \, dx$、$\int x \sin x \, dx$、$\int e^x \sin x \, dx$。（最後這一題相當難纏，需要連續做兩次分部積分，並且要重排積分項的順序。）

* 部分分式：$\int \dfrac{1}{x^2-1} \, dx$、$\int \dfrac{2x-3}{x^2-5x+6} \, dx$。

* 三角代換法：$\int \dfrac{1}{x^2+1} \, dx$、$\int \dfrac{1}{\sqrt{1-x^2}} \, dx$。

13. 求平面上各函數曲線中間所夾的面積（普遍；出現在期末考的機率爲50%）。這類問題的標準解法是：把位於上方的函數減去位於下方的函數，讓相減的結果做爲被積函數，然後積分；積分極限可能是題目所給的上、下限，再不然就是兩函數曲線交點所決定的上下限。

14. 用數值逼近求定積分（較不普遍；出現的機率爲20%）。這類問題是要你利用有限的黎曼和、矩形法、梯形法或辛普森法，來求一個定積分的近似值。之所以比較少出現在期末考，原因一共有四：第一、太花時間；第二、考的只是學生的死背能力；

第三、解題的過程既多又瑣碎；第四、批閱時會讓任課老師頭痛三天。

15. 指數成長及衰退的問題（相當普遍；出現在期末考的機率約達70%）。若是老師在課堂上講過這類問題，期末考卷上非常可能有它們的份兒。

詞彙表：數學名詞速成

callipygian：這是個形容詞，在字典上出現在calculus（微積分）的
附近。請自行查字典。

e:　這個數e = 2.71828...非常重要，重要到有專用的名字。為什麼那
麼重要？這樣說吧，在你寫英文句子時，有沒有哪一句裡面沒
有e？事實上，e是二十六個英文字母裡面最常用的字母！它在
微積分裡也不遑多讓。e還有一個非常獨特的性質，那就是：

$$\frac{\mathrm{d}}{\mathrm{d}x} e^x = e^x$$

π:　它的值等於3.14159...，可說是「數字名人堂」中的領袖。你可
以把它定義為：直徑為1的圓之圓周長。

　　　　既然π是個希臘字母，你可能會認為，一定是有某些古希
臘先賢，想到用字母來代表1單位直徑的圓的圓周長。沒錯，的
確是古希臘人想到的，只不過選用π的人不是他們，而是幾百
年前的一位英國人。他從沒說明為什麼選用了π，對此有各種
穿鑿附會的說法；有人認為是因為圓周的英文字perimeter以p
開頭（相當於希臘字母的π），另外一些人則認為，發明者喜歡
吃一塊美味的派，來當作午餐。

　　不過，有些古希臘先賢確實留下了一個不太高明的文化遺產，就是用360度來度量角度。360這個數字究竟打哪而來，我們也不清楚，不過據說跟披薩容易切成同樣大小的6塊，有某種關連。在涉及角度的數學計算上，另外一種叫做「弧度」的度量方式，會使計算簡單容易得多；你也可以說，用弧度來切π，更是得心應手。

　　對於絕大多數的場合，π的值精確到小數第二位，用3.14，便已經綽綽有餘了。人類花費了數千年時間，才把π的值算到了小數第10位，如今，許多數學家已經把π計算到了小數第30億位。幸運的是，大多數的教書先生都不會要求學生背出π的前十萬位小數。

〈二劃〉

二次公式（quadratic formula）：求解二次方程式$ax^2 + bx + c = 0$的偉大公式；即使你不會因式分解，套此公式，包準你一舉找出解。二次方程式有兩個解，分別是：

$$x = \frac{-b + \sqrt{b^2 - 4ac}}{2a}$$

跟

$$x = \frac{-b - \sqrt{b^2 - 4ac}}{2a}$$

而且來者不拒，只要是二次方程式，就都有解。

二階導數（second derivative）：一階導數的導數，而它的導數則為三階導數；也就是你把一個函數連續微分兩次之後，所獲得的那個導數。

二重積分（double integration）：冷靜下來，別緊張。像你這樣一見到這幾個字就坐立不安，準是有個正在修多變數微積分的混蛋嚇唬過你：「你以為積分很難是不是？那你就等著讓二重積分把你撞個鼻青臉腫。」首先，那混小子說的根本不是實話，二重積分沒有他形容得那麼難。其次，你現在幹嘛緊張？時間還早哪，別讓它破壞你的快樂時光！

〈三劃〉

三角恆等式（trigonometric identity）：可表示不同三角函數之間的關係之簡單方程式。這種方程式雖然形形色色，其中最著名也最重要的一個，就是此中翹楚：$\sin^2 x + \cos^2 x = 1$。由這個經典方程式，很容易得到其他的三角恆等式，譬如在等號兩邊同除以$\cos^2 x$，就得到$\tan^2 x + 1 = \sec^2 x$。

大域性的〔極值、極大值、極小值〕（global [extremum, maximum, minimum]）：這是絕對極值、絕對極大（小）值的另一種說法。global源自於globe（有「全球」的意思），所以這樣的極值從字面上說就是指全球最極端的極值。

〈四劃〉

不定積分（indefinite integral）：函數f(x)的不定積分，也就是一

個導數為 f(x) 的函數 F(x)。千萬別把不定積分跟定積分混為一談，定積分的結果是一個數。不定積分又可稱為 f(x) 的反導函數（antiderivative）。

切線（tangent line）：跟一條曲線上的一點碰觸到、「親吻」到的直線，它的斜率就是該圖形在那一點的斜率。現在它正被控性騷擾。

反三角函數（inverse trigonometric function）：就是與原三角函數作用剛好相反的函數，頗類似美國的民主黨與共和黨輪流執政時的景況，這一任把前任完成的政績一一顛覆掉。正弦的反函數為反正弦，表示為 arcsin；如果 y = sin x，則 x = arcsin y。使用的符號之所以是 arcsin 而非 $\sin^{-1}$，是要避免我們把反正弦函數跟 $\dfrac{1}{\sin x}$ 弄混了。

反導（函）數（antiderivative）：你猜對了，它就是導數的相反。不過別誤會，它與「反基督」、「反社會」等其他「反」字頭的詞彙不同，一點也沒有負面的涵義。函數 f(x) 的反導數也是一個函數，一般表示為 F(x)，F(x) 的導數就是 f(x)。傳統上，「反導（函）數」這個名詞通常用來介紹、引出不定積分的概念，之後就再也用不到，而由「不定積分」給取代了。

反微分（antidifferentiation）：求反導數的過程。此外也是堅決要一視同仁的意思，就好像有的父母堅持要把五個小孩全都取

名爲「寶」（譯注：英文字 differentiation 另有「區別」的意思）。

〈五劃〉

代數（algebra）：等等！如果你居然不知道代數是啥東西（就是一堆像 x、y 等字母，加上一堆把它們搞在一起的規則），就不該來修微積分。請退回到「大富翁」起點，而且領不到 $200。

凹性（concavity）：在函數圖形的某一段，如果像苦瓜臉的嘴形部分，我們就說它是凹口向下；若是反過來，看起來像杯子狀，就是凹口向上（杯子的英文是 cup，向上的英文是 up，這個聯想可以幫助你記憶）。爲了決定一個函數在某處是凹口向上或凹口向下，我們得動用二階導數，如果你想知道相關細節，請看第 15.3、15.4 兩節。

加速度（acceleration）：速度的變化率。當開車的人把油門一踩，你的身體猛然壓向椅背，胃裡面感覺怪怪的——那就是加速度搞的鬼。函數的變化率就是它的導數，所以加速度是速度函數的導數，又由於速度本身是位置函數的導數，所以加速度就是位置函數的二階導數。（寫成數學式就是：$a = dv/dt = d^2s/dt^2$，其中 s 是位置函數。）

可微函數（differentiable function）：若函數在某點有導數存在的話，我們說該函數在該點可微。比方說，函數 $f(x) = x^2$ 在每一點都是可微的，但是函數 $g(x) = |x|$ 則不然，它在 x = 0 這點不可微。既然微分就是取導數，這裡爲什麼不說 derivativable（可取

導數）呢？這是因爲它聽起來太拗口了。

可積分的（integrable）：當我們說某某函數可積分，意思就是指該
函數的積分存在。大部分的標準函數都是可積分的。

正弦（sine）、**餘弦**（cosine）：在派對上，數學家喜歡相互詢問的
兩樣東西。

正交（orthogonal）：數學上專門用來表示「垂直」的花俏字眼。

〈六劃〉

多項式（polynomial）：顧名思義，就是如 $x^2 - 7x + 3$ 或是 $2y^{15} - 4y^3 + 3y - 6$ 之類的函數。多項式裡面並沒有任何如方根、三角函數
等長相有點奇怪的東西。若以一般形式來表示，多項式就是

$$f(x) = a_n x^n + a_{n-1} x^{n-1} + a_{n-2} x^{n-2} + \cdots + a_2 x^2 + a_1 x + a_0$$

有理數（rational number）：指那些腳踏實地的數；還有就是可寫
成 a/b 形式的數，其中的 a 跟 b 皆爲整數。常見的有 1/2、3/4，
不太常見的有 337/122。每一個有理數都可以寫成小數的形式，
寫成的小數要麼是個有限小數（小數位數爲有限多個），要麼就
是個無窮的循環小數。有趣的是，這世間的無理數遠比有理數
多得多——這又是數學模擬眞實人生的例子。

有理函數（rational function）：從英文字面來看，是指「很有道理

的功能作用」；在數學上，則指兩多項式的比率，如 $\dfrac{x^2 - 2}{2x^3 + 1}$。

自然對數（natural logarithm）：就是以e為底的對數，通常用ln來表示。

〈七劃〉

位置函數（position function）：隨著時間在變化、且能告訴你在某一時刻你沿著數線的位置的函數。譬如說 $f(t) = t^2$，而使用的單位是英尺（或公尺）跟秒，那麼在時間 t = 0 時，你的位置是在原點上；在時間 t = 1 秒時，你在原點右方 1 英尺的地方；到時間 t = 2 秒時，你在原點右方 4 英尺處。

局部〔極值、極大值、極小值〕（local [extremum、maximum、minimum]）：如果你目光短淺，你會覺得這個點就是函數的極值（極大值或極小值），但是你若把函數圖形拿遠一點看，可能就會發現遠處還有一個更大或更小的值，不過只就該點的附近來說，它仍然為最高的點（即局部極大值）或最低的點（即局部極小值）。局部極大值就像小池塘裡的大魚，至於局部極小值，若能出外闖盪一番，就有可能找到比它更低下的了。

芝諾（Zeno of Elea）：任何一本微積分英文辭典裡的最後一個詞條。芝諾是公元前五世紀的古希臘哲學家，因為芝諾悖論（Zeno's paradox）而著名。他指出，如果一個跑者要從A點跑到B點，他（或她）必須先跑完全程的一半，然後跑完剩餘路程的一半，再跑完剩餘部分的一半，接著要再跑完剩餘的一半……

（永無止境）。非常明顯的，沒有人能夠在有限的時間裡完成無窮多步，所以這種跑步運動是不可能完成的事，是個幻象。以此類推，整個世界無非是一場夢境。何不翻過身子，繼續睡你的大頭覺？

車速表（speedometer）：儀表板上的一個基本儀表，告訴你車子現在跑多快。其實它是一個速度函數，會隨時告訴你車子當時的速度（亦即你的位置函數之變化率）——倒車時除外。

直線（line）：在你等候購買這本書時，我們希望你乖乖排成的那條東西。在數學裡，若問直線是什麼，連小學生都知道：就是兩點中間那根直直的東西。直線的方程式通常有兩種形式。一種是點斜式，$y - y_0 = m(x - x_0)$，其中(x_0, y_0)是直線上之一點，而m則是該直線的斜率；另一種是斜截式，$y = mx + b$，其中的b是直線與y軸的交點之y座標，而m仍是斜率。

拋物線（parabola）：一種曲線。能寫成$y = Ax^2 + Bx + C$這種形式的方程式，圖形就會是一條拋物線。最常見的例子是$y = x^2$，它會通過原點，形狀頗像一只開口朝上的杯子。（parabola的字首para–，源自希臘文，意思是「在…旁邊」或「超越…」，譬如paralegal、paranormal等等；又如巴拉圭，Paraguay，就位在Guay這個甚少有人知曉的小國旁邊。）

　　如果你拿一個平面切過一個直立圓錐，而且讓切過的角度與通過圓錐頂點的任何一條圓錐上的直線平行，也可以得到拋物線。這方法相當實用。

〈八劃〉

函數（function）：四年的大學生涯中，沒有人能夠避開這個東西，甚至連那些從不碰帶有「計算」字眼的任何課程、主修廣電的大學生也不例外。原因是，function有兩種：social function以及 mathematical function；意義固然不同，卻使用了許多共同的術語。

　　譬如在美國，社交聚會（social function，又稱為mixer或gathering）通常以派對的方式進行，由某棟學生宿舍的整層樓作東，加上幾桶啤酒（或一些小黃瓜三明治）助興。舉行派對的地點，也稱作domain of the function，烹飪食物的地方則叫做range of the function；這樣的聚會若是持續到第二天早上，就稱它為continuous，若是半夜來了校警強行制止，因而隔天再回來重聚，則稱為discontinuous。至於你在派對上遇見的夢中情人的電話號碼，可以稱為value of the function，而這個電話號碼往往是眾多號碼的其中一個，是落在range之內。

　　數學家也用了同樣的術語，來形容他們所說的function，最主要的不同是，當數學家有了一個function時，每個參加者都只會得到一個value！在mathematical function中，沒有人會得到兩個電話號碼，也無人空手離去。

　　數學函數像一部機器，你餵進去一個實數（通常以變數 x 代表，有時也用 t 或其他字母代表），它就會吐出一個全新的實數。比方說函數 f(x) = x²，你把 3 這個數餵給 x，它就吐出 9 這個數。它的定義域就是你能合法餵進去的全部值的集合，而值域（range）則是它可能吐出的所有值的集合。

函數的定義域（domain of a function）：一隻狗的領域是指牠一日下來所走過、撒過尿的地盤總面積。函數 f(x) 的定義域，則是指代進 f(x) 之後，可使函數值有意義的所有 x 值。比方說 f(x) = $\sqrt{x}$ 的定義域，就是所有 x ≥ 0 的 x 值。

函數的合成（composition of functions）：把一個函數代進另一個函數。譬如說，sin ($\sqrt{x}$) 就是 sin x 跟 $\sqrt{x}$「合成」起來的函數。如果配合得很完美，兩函數就會隨著音樂翩翩起舞。

定積分（definite integral）：在 a ≤ x ≤ b 的區間內，函數 f(x) 的定積分結果是一個數，它有時可想成是函數圖形下方的面積。千萬不要跟不定積分混為一談，不定積分的結果是一個函數。

定理（theorem）與證明（proof）：定理就是對某一主題所作的主張，譬如：「sin x 的導數即 cos x。」而證明則是一套詳盡、合邏輯、完全能說服人的論證，說明為什麼某個定理為真。學會分辨什麼才算是證明、什麼不算證明，是你修微積分最重要的收穫之一，不過，在修課人數眾多的課堂上，這問題極少有機會好好討論。

　　好的證明應該能夠說服所有講道理的人。當然，在各路英雄好漢雲集的派對上，總免不了遇到一些怪胎會問你：「等一下，萬一在你講解證明的時候，有火星人把我催眠了，怎麼辦？」或者「真理不是相對的嗎？那為什麼有的真理會比另一個真理更好？」幸好，派對主辦人幾乎不會再邀請這種人。

　　由於律師們對數學家有些偏見，認為他們無法了解法律上

所說的「無合理懷疑的證據」，所以有意無意的把數學家從陪審團名單中剔除。因此，如果你不想被請去當陪審員，你可以放話說你在微積分課堂上學過定理跟證明。基於相似的理由，微積分課也不歡迎律師，因為數學家相信律師無法了解「證明」的數學意義。（如果你現在就是律師或未來要做律師，請不要控告我們。）數學家和律師一樣，老愛用一堆術語，所以光是「定理」本身，又有定理、系理（corollary）、引理（lemma）與命題（proposition）之分。

〈九劃〉

弧度（radian）：角度的度量單位。1弧度相當於 $\frac{180°}{\pi}$，信不信由你，而1度就等於 $\frac{\pi}{180}$ 弧度。

指數（exponent）：書寫在數或函數右上角的縮小數字。也有人稱之為冪或乘方（power）。不過，要是你離婚了，而你的老外朋友問你：「How's your ex？」這時他們指的可不是指數。

指數函數（exponential function）：即f(x) = eˣ。它最著名的特性是什麼？就是它是自己的導數。這就像你變成了你自己的母親，是非常不容易做到的事！

指數增長（exponential growth）：這是一種「非常非常快速的成長」。每當有人說指數成長的時候，目的無非是希望你印象深刻。可表達出指數成長的函數，至少需有CKˣ的形式，其中的C

> 0，而 K > 1。比方說，2^x 就符合指數成長，它意謂著每當 x 增加 1 單位，函數 2^x 就會變成兩倍。因此，雖然 2^1 僅僅等於 2，2^{10} 已經變成 1024，而 2^{20} 居然是 1,048,576。這真是非常非常快速的成長。

映射（map）：危險！危險！如果你的教授使用到這個字眼來指稱函數的話，那麼你就遇上大麻煩啦。這表示他（她）是理論數學家，並且不大能夠把理論世界跟教室裡的世界分開。「映射」的確是函數的另一個稱呼：「這是從實數映到實數的映射」的意思就是「這是把一個實數轉換成另一個實數的函數」。

負的（negative）：即悲觀的或沮喪的。常用「百憂解」來治療。

值域（range）：你能把棒球擲得多遠，就是你投球時的 range（距離、射程）。對函數來說，所能取的值的集合即該函數的 range（值域）。數學家在廚房裡的爐灶（range）烹煮食物；菜單上的雞鴨美食所用的雞是放養的（free-range）雞；說到家，真希望我家門前有牧場（range）……當我沒說。

〈十劃〉

原點（origin）：空間中的一點，它的所有座標都等於 0。

配方法（completing the square）：配方？什麼配方？理論上，你在中學就應該學過這個了。複習配方法，最好是用例子示範：如果想要把函數 $x^2 + 8x + 10$「配方」，我們就要寫成：

$$x^2 + 8x + 10 = x^2 + 8x + (8/2)^2 + 10 - (8/2)^2$$

$$= x^2 + 8x + (8/2)^2 - 6 = (x + 4)^2 - 6$$

我們幹嘛要做這個「配方」的動作呢？讓我舉同一個例子來說明：假設你要畫 $x^2 + 8x + 10 + y^2 = 0$ 的圖形。經過配方之後，這個式子就變成：

$$(x + 4)^2 + y^2 = 6$$

你一看就知道，它是半徑為 $\sqrt{6}$、圓心為 $(-4, 0)$ 的圓。

〈十一劃〉

常數（constant）：固定的數，譬如 3 或 $\sqrt{2}$。與它相對的就是變數，顧名思義，變數並不是只有一個值。在英文裡，constant 也是固定不變、始終不渝的意思，譬如當你向別人誇稱：「我的另一半是我的 constant supporter。」意思就是說，即使他（她）明明知道，你在幹軍火買賣、逃漏稅這些不法勾當，甚至你決定「出櫃」承認自己是同志，他（或她）都會支持你到底。

笛卡兒座標（Cartesian coordinates）：即平面上的標準座標——你應該對它不陌生才對，就是有 x 軸跟 y 軸，而且每一點都可以用兩個具體的數來表示，譬如 (7, 4)，就表示該點的位置是在順著 x 軸方向走 7 單位，然後沿 y 軸方向走 4 單位。既然叫做「笛卡兒」，為什麼它的英文名字不是 Descartesian，而是 Cartesian 呢？原來，在笛卡兒的那個年代，學者都用拉丁文寫論文，而

笛卡兒的拉丁文名字就是：Cartesius。

笛卡兒平面（Cartesian plane）：笛卡兒座標所在的平面。從英文來看，也可以解釋成：Cartesia 小國的空軍勢力範圍。

被積函數（integrand）：積分式子裡那個將要被積分的函數，也就是夾在積分符號 $\int$ 跟 dx 中間的部分。

速率（speed）：速度的絕對值。譬如你把車撞壞了，事後你究竟是該告訴保險公司，你的車子以每小時 30 英里的速率撞上一堵牆（速度是 30 mph），還是你是以同樣的速率倒車時撞上的（速度是 –30 mph）。

速度（velocity）：位置的變化率（跟速率不同的是，如果你是沿著數線朝左方運動，速度可以是負值）。取位置函數的導數之後就可求得速度。

連續性（continuity）：就是沒發生什麼了不起的驚喜之事，一切進行如常。在數學裡，它的專業定義是：如果

$$\lim_{x \to a} f(x) = f(a)$$

我們說函數 f(x) 在點 a 為連續的。再進一步，如果某函數在每一個有定義的點上都是連續的，我們才說該函數為連續的函數。比較不那麼專業的定義則是：如果你能夠把函數曲線一筆畫到

底，筆尖都沒有離開紙面，那麼該函數就是處處連續。（那座
標軸怎麼辦？好吧，准許你提起筆去畫，筆尖離開多久都隨你
高興。）欲知有關詳情，請看第9章。

〈十二劃〉

割線（secant line）：用來指稱連接曲線上兩點的一直線的行話。
先取一條曲線，任何曲線都成，然後在曲線上任選兩點，再畫
條直線把它們連接起來，你就得到了一條割線！幹嘛不簡單叫
它直線就好了？這可是有歷史淵源的。在許多時候，我們在提
及切線時，才會提到割線，因為在你要找出曲線上一點的切線
時，你是把該點當作固定點a，然後取曲線上另一點b，以及通
過a、b兩點的直線，接著移動b，讓它逐漸挪近a，因而你也
得到了一系列連接a、b的割線，這些割線會趨近所謂的切線。
由於切線這名稱取得很獨特、很唬人，讓數學家對割線抱屈，
於是也給它取了這麼一個獨特又唬人的名字。

無理數（irrational number）：即非有理實數，也就是說該數無法
寫成由兩個整數構成的分數。典型的無理數有π、e、$\sqrt{2}$等等。
每一個無理數寫成小數時，都是非循環小數。實際上，無理數
非常多，比有理數還要多（數學家宣稱無理數的數目多到根本
數不清）。當然，你也有極充分的理由提出說，有理數本身就已
經有無限多個了，所以怎麼可能有數目比有理數更多的其他東
西呢？這個很玄的問題，會把我們扯進一個關於「無限」的議
題，不過那是個完全不同的主題，現在若拿來談論，會太離題
——這倒是拿去問教授的好問題。

絕對極大值（absolute maximum; global maximum）：函數在特定的定義域內唯一、獨一無二、絕無僅有的最大函數值。（這個值雖然唯一，卻不限於一處，就像你看到兩座高度完全相同的高山。）不要把它跟局部極大值（local maximum）搞混了；局部極大值跟絕對極大值的差異，就好比鄉鎮縣市的警察局長跟號令全國的警政署長。切記，絕對極大值也可能發生在區間的端點。絕對極大值有時也稱「最大值」。

絕對極小值（absolute minimum）：定義跟絕對極大值一樣，只是把其中的「大」字全部改成「小」字，而把「警察局長」換成「戶長」，「警政署長」換成「副總統」（視國家的政治制度而定）。在函數圖形上，絕對極小值就是整條曲線上位置最低的那個點。

絕對值（absolute value）：如果有負號，就把它拿掉；如果沒有，就別動。

階乘（factorial）：$n! = n \times (n-1) \times \cdots \times 3 \times 2 \times 1$，整數 n 的階乘，就是從 1 到 n 的所有整數的乘積。這兒有個可以拿去難倒教授的問題：「像 3/2 或 −2 這類數字的階乘該如何取？」

極限（limit）：不許你逾越的那條界限，就好比餐館裡的告示所說的：「取用沙拉請適量，每個人限取三次。」在微積分裡，當你把許多愈來愈靠近某個數的值，代入一個函數時，所得到的函數值趨近的那個數，就是極限。

極大值（maximum，複數為maxima）：原文源自於拉丁文，誰說拉丁文已死？它們只是在休息罷了。關於極大值，詳見「局部極大值」跟「絕對極大值」。

極小值（minimum，複數為minima）：嘿！我們剛解釋了極大值，你難道不能舉一反三嗎？

極值（extremum，複數為extrema）：即極大值或極小值；這麼說吧，具有最高或最低的極值的點，就是極大值或極小值。

〈十三劃〉

微分（differential）：differential（差動齒輪）這個字有時與汽車的變速箱或傳動裝置相提並論，我們只知道它是重要零件，至於要去了解它的作用，就太困難了。對了！變數裡面的微小變化量也叫做differential，中譯為「微分」，譬如說，dy就是變數y的微小變化量。雖然dy通常是導數符號的一部分，也是積分符號的一部分，但是我們最好就只把它看成是變數y的極微小變化量。

微分方程（differential equation）：包含有導數的方程式。例如

$$6\frac{dy}{dx} + y - x = 25$$

這類方程式操控著大部分的物理世界，所以我們要尊敬它們！

微積分基本定理（Fundamental Theorem of Calculus）：這個定理
一般都是分成兩個部分來敘述。其中一部分是說，我們可以先
取函數的反導函數，然後把上限與下限分別代入，就能求出函
數曲線下方所圍的面積；寫成數學式就是：

$$\int_a^b f(x)\ dx = F(b) - F(a)$$

其中的 $F(x)$ 是任意函數，其導數為 $f(x)$，亦即 $F'(x) = f(x)$。所以
上式亦可寫成：

$$\int_a^b F'(x)\ dx = F(b) - F(a)$$

換言之，如果你把一函數的導數從 a 積分到 b，你得到的就正好
等於原函數在 b 的函數值，減去原函數在 a 的函數值。

另一部分則是說：

$$\frac{d}{dx}\int_a^x f(t)\ dt = f(x)$$

這兩個部分都是說明，導數跟積分之間關係極為密切，要是沒
有這個定理，微積分的課程內容恐怕僅剩下現有的一半而已。

〈十四劃〉

圖形（graph）：在 xy 平面上，在 y 方向上描繪出 $f(x)$ 所成的圖示。
俗語說得好，百聞不如一見，一幅圖可以訴說千言，一個函數
圖形可以顯示無限多個函數值。

簡單的說，f(x)的函數圖形就是在笛卡兒平面上、所有滿足方程式 y = f(x)的點(x, y)所成的集合。最重要的性質是，任何一條垂直線跟此圖形最多僅相交於一點，因為在笛卡兒平面上，特定一個 x 值就定義一條垂直線。對特定一個 x 值，僅有一個 y 值使得 y = f(x)。

實數（real number）：我們經常打交道的數，包括整數、分數以及夾在分數之間的無理數，如 e、$\sqrt{2}$ 等等。每一個實數都有它自己的小數表示法。不同於實數的，是為虛數（imaginary number），虛數會牽涉到 $\sqrt{-1}$。

對數（logarithm）：一種數學函數，是 b^x 的反函數，其中的 b 是某個定值，稱為對數之底。

漸近線（asymptote）：所謂漸近線，就像你在派對上遇到了一個非常吸引你的人，你情不自禁想靠過去，設法走到他（她）的身旁，找話題搭訕。結果你們聊得很愉快，你也愈靠愈近，近到膝蓋幾乎相碰在一起。在微積分上，你只是一直繼續靠近。而在現實生活中，你開始搭訕，向他（她）傾訴你對部分分式如何如何著迷，結果對方藉口說要去拿杯飲料，不久後你就看見窗外有部汽車揚長離去。

函數圖形的漸近線，就是躺在 xy 平面上，而函數曲線會與之愈靠愈近的一條線。有些函數會在漸近線的兩側穿過來、穿過去，不過幅度愈來愈小，也算是跟漸近線愈靠愈近。

碳定年法（carbon dating）：地質學家最主要的社交活動。平日他
　　們聚在一起，把一些採來的石塊敲碎，然後檢測石塊裡不同碳
　　同位素的量。原因是碳12不會隨著時間而衰變，但是碳14會衰
　　變，因此他們能從碳12跟碳14的比率，得知這石塊的年代。
　　這個地質學術語怎麼跑到微積分書裡來呢？那是因為碳14的衰
　　變率，就跟所有放射性物質一樣，呈指數變化，意思就是說，
　　在時刻t的殘留量等於$f(t) = C_0e^{-kt}$。這是許多例題、習題跟考題
　　的絕佳素材。

〈十五劃〉

線性方程式（linear equation）：代表一條直線的方程式，樣子就
　　像$3x + 2y = 4$，裡面沒有x^2、$\sin x$甚至xy。無論以什麼面目出
　　現，都可以改寫成下列的一般形式：$Ax + By + C = 0$，其中的
　　A、B、C均為常數（可能是0）。請注意，在直線的定義中提
　　到的兩種形式，都可以改寫成這個形式。

複數（complex number）：忘了「變真實」、目前正在接受治療的
　　數；還有那些半真半假、長得像$7 + 6i$（其中$i = \sqrt{-1}$）的數。我
　　們知道，每個數學老師都告訴過你，負數沒法開方，但實際上
　　他們的意思是，你不能希望在拿負數開方之後得到一個實數。
　　換句話說，負數可以開方，只是你得到的是複數。一般複數都
　　以$a + bi$的形式表示，其中的a叫做實部，bi叫做虛部。通常第
　　一學期的微積分課程裡不談複數。

〈十六劃〉

冪法則（power rule）：「power」這個英文字一般是指權力，所以「權力法則」就是：權力敗壞人品，絕對的權力更徹底敗壞人品（根據定義，當權力爲正，絕對權力就等於權力；若爲負，則絕對權力等於負的權力）。用在微積分上，冪法則是說：x^n的導數等於nx^{n-1}。

整數（integer）：..., –3, –2, –1, 0, 1, 2, 3, ...這個定義夠短了吧！

導數（derivative）：注意！這是整個微積分裡面最重要的觀念。對於這個術語，你不應該只是隨便去找本字典，像你平日查英文單字或國語辭典那樣，大略查出定義就算了，而是應該仔細讀一讀這本書（的第10、11、12章）。如果你堅持要知道一個沒啥價值的簡單定義，那麼我們可以告訴你，函數f(x)的導數就是f(x)的變化率；從幾何來看，導數就代表函數y = f(x)的圖形在點(x, f(x))的切線之斜率。

橢圓（ellipse）：踩上一個圓，讓它唉唷一聲，然後你就會得到一個橢圓。橢圓要比圓長一些，或是寬一些。橢圓的一般式與圓的公式類似，只是多了a跟b：

$$\frac{x^2}{a^2} + \frac{y^2}{b^2} = 1$$

〈十七劃〉

臨界點（critical point）：正當你分神不注意聽講的時候，老師所講到的點。在數學上則是指：當函數 f(x) 的導數 f'(x) 等於 0 或不存在時的 x 值。你會在兩種場合遇到它：一、繪函數圖形時；二、求極大、極小值的應用題時。在前者，臨界點告訴你圖形上什麼地點會出現嚴重變化；在後者，臨界點指出所有有可能是極大值跟極小值的點。

〈十八劃〉

鏈鎖律（chain rule）：「絕不要讓自己被身上滿是刺青的人給拴住。」這條金科玉律的數學版，則是說：

$$f(g(x))' = f'(g(x))\ g'(x)$$

或

$$\frac{df}{dx} = \frac{df}{du} \cdot \frac{du}{dx}$$

雙曲三角函數（hyperbolic trigonometric function）：提及這個名詞，就表示你上的微積分課程稍微難一點、高深一點。這個主題講解起來勞神又費時，所以大多數的微積分老師乾脆跳過不談。如果你的課堂裡仍然包含了這個主題，也不用緊張，因為這一類的函數一點也不難對付。

所謂 x 的雙曲正弦函數，表示成 sinh x（發音跟 cinch 一字相

若），定義就是 $\sinh x = \dfrac{e^x - e^{-x}}{2}$；而雙曲餘弦函數，則表示成

$\cosh x$（發音跟 posh 一字押韻），其定義為 $\cosh x = \dfrac{e^x + e^{-x}}{2}$。需

要注意的是，它們倆互為對方的導數。至於其他的雙曲三角函
數，可根據以上所定義的這兩個函數推知，就像用正弦跟餘弦
來定義其他的三角函數一樣。

〈二十三劃〉

變化率（rate of change）：即函數正在變化的速率。如果該函數
是在度量你的位置，那麼你的速率（車上的車速表會告訴你）
就是變化率。函數變化率的另一個說法是「導數」。

變數（variable）：神經緊張的氣象學家使用得最頻繁的一個詞。在
數學上，它指能夠變化的量，通常以 x、y 等字母表示，意思就
是它沒有特定的定值，而是能代表所有不同的值。

英中對照索引

How To Ace Calculus: The Streetwise Guide

屠龍刀譜修練心得 ▶

How To Ace Calculus: The Streetwise Guide

屠龍刀譜修練心得 ▶

How To Ace Calculus: The Streetwise Guide

屠龍刀譜修練心得

How To Ace Calculus: The Streetwise Guide

科學天地 162
微積分之屠龍寶刀
HOW TO ACE CALCULUS: The Streetwise Guide

原著 — 亞當斯（Colin Adams）、哈斯（Joel Hass）、湯普森（Abigail Thompson）
譯者 — 師明睿
顧問群 — 林和、牟中原、李國偉、周成功
總編輯 — 吳佩穎
編輯顧問 — 林榮崧
責任編輯 — 畢馨云、林韋萱
封面設計暨美術編輯 — 江儀玲

出版者 — 遠見天下文化出版股份有限公司
創辦人 — 高希均、王力行
遠見・天下文化 事業群榮譽董事長 — 高希均
遠見・天下文化 事業群董事長 — 王力行
天下文化社長 — 林天來
國際事務開發部兼版權中心總監 — 潘欣
法律顧問 — 理律法律事務所陳長文律師　　　　著作權顧問 — 魏啟翔律師
社址 — 台北市 104 松江路 93 巷 1 號 2 樓
讀者服務專線 —（02）2662-0012　傳真 —（02）2662-0007；（02）2662-0009
電子信箱 — cwpc@cwgv.com.tw
直接郵撥帳號 — 1326703-6 號 遠見天下文化出版股份有限公司

電腦排版 — 東豪印刷事業有限公司
製版廠 — 東豪印刷事業有限公司
印刷廠 — 中原造像股份有限公司
裝訂廠 — 中原造像股份有限公司
登記證 — 局版台業字第 2517 號
總經銷 — 大和書報圖書股份有限公司　電話 —（02）8990-2588
出版日期 — 2003 年 1 月 30 日第一版第 1 次印行
　　　　　　2023 年 11 月 10 日第三版第 5 次印行

定價 — 420 元

4713510945964（本書初版 ISBN 986-417-098-7）
書號：BWS162
天下文化官網 — bookzone.cwgv.com.tw

代數：

❋　因次分解：$x^2 - y^2 = (x-y)(x+y)$

❋　二次方程式：

$ax^2 + bx + c = 0$ 的解為（如果 $a \neq 0$）

$$x = \frac{-b \pm \sqrt{b^2 - 4ac}}{2a}$$

❋　絕對值函數：

$$|x| = \begin{cases} x & \text{若 } x \geq 0 \\ -x & \text{若 } x < 0 \end{cases}$$

三角：

✳　三角函數：

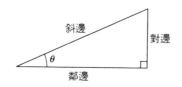

$$\sin\theta = \frac{對邊}{斜邊} \qquad\qquad \csc\theta = \frac{斜邊}{對邊} = \frac{1}{\sin\theta}$$

$$\cos\theta = \frac{鄰邊}{斜邊} \qquad\qquad \sec\theta = \frac{斜邊}{鄰邊} = \frac{1}{\cos\theta}$$

$$\tan\theta = \frac{對邊}{鄰邊} = \frac{\sin\theta}{\cos\theta} \qquad\qquad \cot\theta = \frac{鄰邊}{對邊} = \frac{1}{\tan\theta}$$

✳　度跟弧度：

$$180° = \pi \text{ 弧度} \qquad\qquad 360° = 2\pi \text{ 弧度}$$

$$1° = \frac{\pi}{180} \text{ 弧度} \qquad\qquad x° = \frac{x\pi}{180} \text{ 弧度}$$

$$1 \text{ 弧度} = \frac{180°}{\pi} \qquad\qquad x \text{ 弧度} = \frac{180x°}{\pi}$$

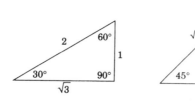

重要的三角函數值：

（＊表示該函數值不存在）

度	0°	30°	45°	60°	90°	180°	270°
弧度	0	$\pi/6$	$\pi/4$	$\pi/3$	$\pi/2$	π	$3\pi/2$
$\sin x$	0	1/2	$\sqrt{2}/2$	$\sqrt{3}/2$	1	0	-1
$\cos x$	1	$\sqrt{3}/2$	$\sqrt{2}/2$	1/2	0	-1	0
$\tan x$	0	$1/\sqrt{3}$	1	$\sqrt{3}$	*	0	*
$\sec x$	1	$2\sqrt{3}$	$\sqrt{2}$	2	*	-1	*
$\csc x$	*	2	$\sqrt{2}$	$2/\sqrt{3}$	1	*	-1
$\cot x$	*	$\sqrt{3}$	1	$1/\sqrt{3}$	0	*	0

三角恆等式：

$$\sin^2 x + \cos^2 x = 1$$
$$\sin(-x) = -\sin(x)$$
$$\cos(-x) = \cos(x)$$
$$1 + \tan^2 x = \sec^2 x \qquad 1 + \cot^2 x = \csc^2 x$$
$$\sin 2\theta = 2\sin\theta\cos\theta \qquad \sin(a+b) = \sin a \cos b + \cos a \sin b$$
$$\cos 2\theta = \cos^2\theta - \sin^2\theta \qquad \cos(a+b) = \cos a \cos b - \sin a \sin b$$

直線、圓、橢圓、雙曲線、拋物線：

✳　通過(x_0, y_0)及(x_1, y_1)兩點的直線斜率為：　$m = \dfrac{y_1 - y_0}{x_1 - x_0}$

✳　點斜式：$y_1 - y_0 = m(x_1 - x_0)$

✳　斜截式：$y = mx + b$

✳　$(x - a)^2 + (y - b)^2 = r^2$ 為一圓，其半徑為r，圓心為(a, b)。

✳　$\dfrac{x^2}{a^2} + \dfrac{y^2}{b^2} = 1$ 為一橢圓，通過$(a, 0)$、$(-a, 0)$、$(b, 0)$及$(-b, 0)$各點。

✳　$\dfrac{x^2}{a^2} - \dfrac{y^2}{b^2} = 1$ 為一雙曲線。

✳　$y = ax^2 + bx + c$ 為一拋物線。

✳　其他包含 x、y、x^2、y^2 的方程式也可得上述曲線之一。

極限：

如何求解 $\lim\limits_{x \to b} f(x)$

✳　試將 b 代入函數。若你得到一個數（而且該數沒有為0的分母或者在根號中的負數），且若函數在 b 處不更改定義，則 f(b) 即為所求極限。

✳　如果你把 b 代入函數而得到 $\dfrac{0}{0}$，那麼你需要再多做一些步驟，通常是做些化簡、消去。

✳　$\lim\limits_{x \to 0} \dfrac{\sin x}{x} = 1$

連續性：

✻　若以下條件成立，則f(x)在x = a為連續：

1. f(a) 有定義；

2. $\lim\limits_{x \to a} f(a)$ 存在；

3. $\lim\limits_{x \to a} f(a) = f(a)$。

導數的定義：

g(x)對 x 微分，所得的導數可寫成g'(x)，而 g'(x)可由下列各式算出：

$$g'(x) = \lim_{h \to 0} \frac{g(x+h) - g(x)}{h} \quad 或$$

$$g'(x) = \lim_{\Delta x \to 0} \frac{g(x+\Delta x) - g(x)}{\Delta x} \quad 或$$

$$g'(x) = \lim_{z \to x} \frac{g(z) - g(x)}{z - x}$$

微分法則：

✻　冪法則：$\dfrac{d}{dx}(x^n) = n x^{n-1}$

✻　積法則：$\dfrac{d}{dx}(fg) = f'g + fg'$

✻　商法則：$\dfrac{d}{dx}\left(\dfrac{f}{g}\right) = \dfrac{f'g - fg'}{g^2}$

✳ 三角函數的導數：

$$\frac{d}{dx}(\sin x) = \cos x \qquad \frac{d}{dx}(\cos x) = -\sin x$$

$$\frac{d}{dx}(\tan x) = \sec^2 x \qquad \frac{d}{dx}(\sec x) = \sec x \tan x$$

$$\frac{d}{dx}(\csc x) = -\csc x \cot x \qquad \frac{d}{dx}(\cot x) = -\csc^2 x$$

✳ 鏈鎖律：

$$\frac{d}{dx}f(g(x)) = f'(g(x))g'(x)$$

或

$$\frac{dy}{dx} = \frac{dy}{du}\frac{du}{dx}$$

對數微分法：

當 f(x) 為一個很繁複的乘積：

1. 在等號兩邊同取自然對數 ln。
2. 利用對數的各個法則來化簡。
3. 在等號兩邊同取導數。讓左邊為 f'(x)/f(x)。
4. 兩邊同乘 f(x)，就得到 f'(x)。

導數的應用：

✳ 速度與加速度：
- 平均速率 = $\dfrac{總距離}{總時間}$
- 速度：$v(t) = s'(t)$，其中 s(t) 為在 t 時的位置。
- 加速度：$a(t) = v'(t) = s''(t)$。

✳ 繪函數圖形：
- 在 f(x) 的極大或極小值，$f'(x) = 0$。
- 除了在 $f'(x) = 0$ 的地方，極大或極小值也可能發生在導數未定義（不存在）的點。
- 在局部極大值，$f'(x)$ 從 + 變成 –；而在局部極小值，$f'(x)$ 從 – 變成 +。
- 在局部極大值，$f''(x) \leq 0$；在局部極小值，$f''(x) \geq 0$。

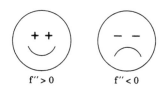

f″ > 0　　　f″ < 0

- 如果 $f''(x) = 0$，二階導數檢測失效。
- 若 $f''(x) < 0$，表示凹口向下彎（像苦瓜臉）。
- 若 $f''(x) > 0$，表示凹口向上彎（如杯子）。
- 在反曲點，$f''(x) = 0$。

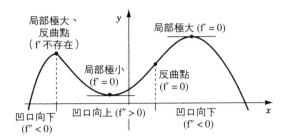

✹ 微分的數值逼近：

$$f(x + \Delta x) \approx f(x) + f'(x)\,\Delta x$$

指數與對數：

* $x^{a+b} = x^a \times x^b, (x^a)^b = x^{ab}$,
  $x^{-a} = 1/x^a, x^{1/2} = \sqrt{x}$

* $\ln(ab) = \ln a + \ln b$,
  $\ln(a^b) = b \ln a, \ln\left(\dfrac{1}{a}\right) = -\ln a$

* $b^{\log_b x} = x, \log_b(b^x) = x$

* $\ln e = 1, \ln 1 = 0$

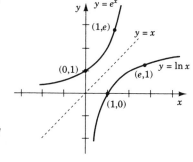

* $\dfrac{d}{dx}(e^x) = e^x, \displaystyle\int e^x\, dx = e^x + C$

* $\displaystyle\int e^{kx}\, dx = \dfrac{e^{kx}}{k} + C$

* $\dfrac{d}{dx}(\ln x) = \dfrac{1}{x}, \displaystyle\int \dfrac{1}{x}\, dx = \ln|x| + C$

* $\dfrac{d}{dx}(a^x) = a^x \ln a, \displaystyle\int a^x\, dx = \dfrac{a^x}{\ln a} + C$

* $\dfrac{d}{dx}\log_b x = \dfrac{1}{x \ln b}$

* 指數增長及指數衰退：

  $\dfrac{dN}{dt} = kN$ 為其微分方程式，而 $N(t) = N_0 e^{kt}$ 為其解。

積分法：

* 冪法則：$\int x^n \, dx = \dfrac{x^{n+1}}{n+1} + C$，其中 n ≠ −1。

* 代換法：$\int f'(u(x))u'(x)\,dx = f(u(x)) + C$。

* 分部積分：$\int u \, dv = uv - \int v \, du$。

* 三角代換法：若在被積函數中有 $\sqrt{1 \pm x^2}$ 這樣的式子時，把 x 代換成三角函數（如 sin 或 tan），然後用三角恆等式來做化簡。

* 部分分式：把單一分式函數重新寫成數個分式的和，希望能更好求其積分。

* 當函數 f(x) 為正的情況下，該函數在介於 a、b 之間、曲線下方所圍的面積就等於 $\int_a^b f(x)\,dx$。

* 當 f(x) ≥ g(x)，兩函數之間所夾的面積等於：
$\int_a^b (f(x) - g(x))\,dx$。

* 微積分基本定理：

$$\int_a^b f(x)\,dx = F(b) - F(a)$$

其中 F(x) 是 f(x) 的一個反導函數。另外，這個基本定理還有第二種形式：

$$\frac{d}{dx}\int_a^x f(t)\,dt = f(x)$$

* 別忘記常數 + C。

✳　矩形法：$\int_a^b f(x)\,dx \approx \dfrac{b-a}{n}[f(x_1)+f(x_2)+\ldots+f(x_n)]$

x_i 可以是分割後的 n 個區間的右端點或左端點。

✳　中點法：

$$\int_a^b f(x)\,dx \approx \frac{b-a}{n}\left[f\left(\frac{x_1+x_2}{2}\right)+f\left(\frac{x_2+x_3}{2}\right)+\ldots+f\left(\frac{x_n+x_{n+1}}{2}\right)\right]$$

x_i 是分割後的 n 個區間的端點（從最左到最右）。

✳　梯形法：

$$\int_a^b f(x)\,dx \approx \frac{b-a}{n}[f(x_1)/2+f(x_2)+\ldots+f(x_n)+f(x_{n+1})/2]$$

x_i 是 n 個區間的端點（從最左到最右）。

✳　辛普森法：

$$\int_a^b f(x)\,dx$$

$$\approx \frac{b-a}{3n}[f(x_1)+4f(x_2)+2f(x_3)\ldots2f(x_{n-1})+4f(x_n)+f(x_{n+1})]$$

x_i 是 n 個區間從最左到最右的端點，而且 n + 1 必須是單數。

✳　定積分的定義：

$$\int_a^b f(x)\,dx = \lim_{n\to\infty}\sum_{i=1}^{n}f(x_i)\Delta x \quad 或$$

$$\int_a^b f(x)\,dx = \lim_{n\to\infty}\sum_{i=1}^{n}f(c_i)(x_{i+1}-x_i)\ ，c_i 落在[x_i, x_{i+1}]內。$$

* $\int \sin u \, du = -\cos u + C$

* $\int \cos u \, du = \sin u + C$

* $\int \tan u \, du = \ln|\sec u| + C$

* $\int \csc u \, du = \ln|\csc u - \cot u| + C$

* $\int \sec u \, du = \ln|\sec u + \tan u| + C$

* $\int \cot u \, du = \ln|\sin u| + C$

* $\int \sec^2 u \, du = \tan u + C$

* $\int \csc^2 u \, du = -\cot u + C$

* $\int \sec u \tan u \, du = \sec u + C$

* $\int \csc u \cot u \, du = -\csc u + C$

* $\int \sin^2 u \, du = \dfrac{u}{2} - \dfrac{\sin(2u)}{4} + C$

* $\int \cos^2 u \, du = \dfrac{u}{2} + \dfrac{\sin(2u)}{4} + C$

* $\int \tan^2 u \, du = \tan u - u + C$

* $\int \cot^2 u \, du = -\cot u - u + C$

* $\int \dfrac{du}{\sqrt{a^2 - u^2}} = \arcsin \dfrac{u}{a} + C$

* $\int \dfrac{du}{a^2 + u^2} = \dfrac{1}{a} \arctan \dfrac{u}{a} + C$

* $\int \dfrac{du}{a^2 - u^2} = \dfrac{1}{2a} \ln\left|\dfrac{u + a}{u - a}\right| + C$

* $\int \dfrac{du}{u \sqrt{u^2 - a^2}} = \dfrac{1}{a} \operatorname{arcsec} \left|\dfrac{u}{a}\right| + C$

* $\int \dfrac{du}{\sqrt{u^2 \pm a^2}} = \ln|u + \sqrt{u^2 \pm a^2}| + C$

* $\int \dfrac{du}{(u^2 \pm a^2)^{3/2}} = \pm\dfrac{u}{a^2 \sqrt{u^2 \pm a^2}} + C$

* $\int \ln u \, du = u \ln u - u + C$

* $\int u e^u \, du = (u - 1)e^u + C$

* $\int u \sin u \, du = \sin u - u \cos u + C$

* $\int u \cos u \, du = \cos u + u \sin u + C$

* $\int \dfrac{1}{u \ln u} \, du = \ln|\ln u| + C$